KB122666

나에게 안녕을 묻는다

나에게
안녕을
묻는다

정모래

이응이응프레스

적당한 솔직함에 대하여

어디까지 정제된 글을 써야 할지, 과연 나는 어디까지 솔직해질 수 있는지 스스로에게 계속 질문을 던진다.

제주도에 내려온 후 나는 지금까지 블로그에 일기를 쓰고 있다. 매일 썼던 건 아니지만 하루 일과들을 모아 한꺼번에 업로드하며 간헐적으로 써온 게 벌써 햇수로 6년째. 우울증과 함께 시작된 내 블로그 일기에 생각보다 많은 사람들이 공감을 해 주었고, 그들과 나는 이웃이라는 익명의 틀 안에서 서로 위로를 주고받는 사이가 되었다. 그들은 내가 어디에 사는지, 어떤 생각을 하는지, 어떤 음식을 먹는지, 어떤 걸 좋아하고 싫어하는지 소상히 알고 있다. 하지만 나는 그들의 이름, 사는 곳, 직업, 나이, 얼굴을 하나도 알지 못한다. 어떻게 보면 꽤나 불공평한 관계인 듯하지만 애초에 전체 공개를 설정한 나를 탓할 수밖에 없다.

그래서 내 블로그는 아이러니한 부분이 참 많다. 불특정 다수에게 오픈했지만 지극히 사적인 일상만 기록한다. 근데 신기하게도 그걸 꾸준히 읽어주는 사람들이 있다. 내가 쓰면서도 이 재미없고 개인적인 일기를 대체 누가 읽을까 싶은데 심지어 재밌다고 해준다. 그들은 늘 내가 솔직해서 좋다고 했다.

나는 정말 솔직한 사람일까.

없는 얘기를 지어내는 것도, 있는 얘기를 부풀리는 것도 아니지만 그럼에도 나는 내 공간에서조차 온전히 진솔하다고 말할 수 없다. 요즘은 블로그를 이용하는 사람도 드문 데다 가까운 친구들에게만 오픈했으니 내 블로그 방문자들은 일면식도 없는 사람들이 대부분이다. 그렇다 해도 알고리즘에 의해, 우연에 의해 누구라도 내가 쓴 글에 닿을 수 있다는 점 때문에 나는 일기를 쓰면서도 늘 자기 검열을 하게 된다. 익명의 이웃들을 완전히 배제하고 쓸 수도 없는 노릇이어서 결국 나는 내 공간에서도 솔직할 수 없다. 요즘 사람들은 자신만 아는 곳에 일기를 쓰면서도 혹시 누가 볼까 봐 100% 솔직하게 쓰지 못한다는 이야기를 들은 적이 있다. 하물며 지울 수도,

무를 수도 없이 평생 기록으로 남을 이 작은 책 안에서 나는 어디까지 솔직하게 써야 하는 걸까. 내가 생각하는 솔직함의 기준에 대해 거듭 고민하게 된다.

누구나 무덤까지 가져가야 할 비밀이, 어디에도 말하고 싶지 않은 상처가, 숨기고 싶은 과거가 있다. 오롯이 처음부터 끝까지 내 이야기를 써 내려가야 하는 이 책은 그런 의미에서 왠지 내 책이지만 내 책이 아닌 것 같은 미시감이 들기도 한다. 나는 어느 선까지 솔직할 수 있을까. 내가 보기에도 가짜 같은 낯선 느낌은 싫고, 그렇다고 두고두고 부끄러울 만큼 지나치게 솔직한 것도 어쩐지 거부감이 든다. 뭐든 적당한 게 좋은데 그 적정선을 찾는 게 언제나 가장 힘든 법이니까.

그래서 내가 할 수 있는 건 오늘도 그저 최선을 다해 적당한 솔직함의 자세로 글을 쓰는 것뿐이다.

차례

1부

말로만 듣던 우울증,
내가 걸릴 줄은 몰랐다

마음의 병이 찾아왔다

무더운 여름이었다. 병원을 나오자마자 건물 앞에서 손바닥 위에 약봉지를 올려 두고 한참을 내려다봤다. 모두 다섯 알. 정말 이 약을 먹어도 되는 걸까. 듣자 하니 부작용도 많다던데. 갑자기 막 몸이 이상해지는 건 아닐까. 이러다 약에 의존하게 되면 어떡하지. 오만 가지 생각이 스쳐 지나갔다. 손바닥 위에 놓인 크기도, 색깔도 제각각인 알약들을 보고 있자니 덜컥 겁이 났다. 내가 진짜 정신병에 걸린 건가, 싶은 생각에 숨이 턱 막혔다.

"우울증이 맞는 것 같네요."

사실 전혀 예상하지 못했던 건 아니었지만 막상

우울증이라는 단어를 전문의에게 직접 듣고 나니 갑자기 그 단어가 생경하게 느껴졌다. 같은 단어라도 혼자 짐작하고 있던 것과 누군가의 입에서 나와 내 귀에 꽂히는 느낌은 사뭇 달랐다. 그리고 신기하게도 약간의 안도감이 들었다. 적어도 이제는 가족들 앞에서 내 증상에 대해 조금은 당당해져도 되지 않을까, 하는 생각에서였다. 내가 이상하거나 문제가 있는 게 아니니까 더는 내 탓을 하면서 괴로워하지 않아도 된다는 생각에. 물론 이 단어 하나로 지금 나의 모든 상태를 함축할 수는 없겠지만 오히려 잡히지 않는 모호한 형태보다는 낫다는 생각이었다. 일종의 보호막이 생긴 기분이랄까.

그렇게 2018년 어느 여름, 나는 난생처음 우울증과 불안 장애라는 마음의 병을 얻었다.

전조 증상 하나,
첫 직장 그리고 첫 퇴사

내 상태가 평소와 다르다고, 뭔가 이상하다고 생각하게 된 건 병원을 찾기 이미 한참 전이었다.

당시 나는 서울 강서구의 한 오피스텔에 살았다. 다니던 회사에서 도보 5분 거리인 원룸에 살다가 퇴사할 작정을 하고 최대한 회사와 떨어진 곳으로 갈 심산이었다. 그때는 왜 그랬는지 회사를 그만둔다는 생각을 하니 괜히 마음이 떠서 그냥 아는 사람이 없는 곳으로 멀리 가고만 싶었다. 습관성 도피 기질이 또 튀어나온 것이었다. 그래서 도망치듯 무작정 이사를 했다. 원래 지내고 있던 강남도, 친한 고모네가 있는 강북도 아닌, 단 한 번도 살아보지 않았던 강서구. 가족들 모두 내 선택에 의아해했지만 나는 회사를 그만둔다는 말 대신 월세가 강남보다 훨씬 저렴하다는 이유로 대충 둘러댔었다.

그 동네는 오피스텔과 원룸이 가득한 곳이었고 모든 건물들이 정교하게 자로 잰 것처럼 같은 크기, 같은 모양을 하고 다닥다닥 붙어있었다. 각 호실들은 마치 테트리스 게임을 연상케 할 정도로 딱딱 끼워 맞춘 조형물 같았다. 조금의 공간적 여유도 용납하지 않겠다는 건물주의 굳건한 의지가 담긴 집이었다. 구색만 갖추어 작게 만들어 놓은 창문 밖으로는 맞은편 건물에 사는 사람이 어떤 옷을 입고 뭘 하는지 빤히 보였다. 조금 답답하게 느껴지긴 했지만 달리 문제가 되지 않았다. 예전에 한 친구가 집이 넓고 좁고, 신축이고 아니고를 떠나서 집마다 주는 기운이 있다고 했는데 돌이켜 보면 강서구 오피스텔이 딱 그랬다. 그 집에 살면서 내가 많이 아프게 되었으니까. 물론 이사할 때는 친구가 해줬던 그 말이 무슨 의미인지 전혀 알지 못했다. 그때 나는 하루 빨리 회사를 그만두고 회사 사람들과 마주치지 않는 곳으로 멀리 이사를 가는 게 더 중요했다.

그 회사는 나의 첫 회사였다. 친구들보다 몇 년 늦게 대학에 입학했고 졸업할 때까지도 방황을 많이 했지만 운 좋게 졸업 전에 취업을 했다. 스타트업(start-up)임에도 단기간에 성장해 업계에서 이름 있는 브랜드를 가지게 된 회사였다. 처음에는 나도 친구들처럼 직장인이 된다는 사실이 너무 신기했고 또래들 사이에서는 나름 인지도 있는 회사여서 자랑할 때마다 내심 뿌듯하기도 했다.

첫 출근 날, 회의실에서 근로 계약서를 작성하고 내 연봉이 적힌 종이를 건네받았다. 그리고 주말이 되자마자 나는 곧장 기차를 타고 두 시간을 달려 남자친구가 지내는 지방으로 내려갔다. 부모님 다음으로 가장 먼저 그에게 축하를 받고 싶었다. 약속한 장소에 그는 먼저 나와 있었다. 나는 횡단보도를 가로질러 맞은편에서 기다리고 있던 그에게 뛰어가 와락 안겼다. 우리는 서로의 손을 마주 잡고 길에서 방방 뛰며 함께 소리를 질렀다. 연봉 계약서를 보여주면서 나 연봉 이만큼 받는다고 철없이 자랑했던 그 순간이 아직도 눈에 선하다.

그때의 행복도 잠시, 나는 주변 모든 이들의 만류에도 결국 2년을 채우지 못하고 회사를 그만두었다. 급여도, 사람도, 근무 환경도 다 나쁘지 않았기에 모두들 배부른 소리라며 퇴사하려는 나를 나무랐다. 하지만 그때 나는 뭔가 나에게 맞지 않는 옷을 입은 것 같은 느낌이 자꾸 들었다. 무엇보다 내가 하는 일이 컴퓨터 부품을 바꿔 끼우듯 언제든 다른 사람과 대체가 가능한 것이라는 데서 오는 회의감이 컸다. 사회 초년생이었던 나는 어딘가에 내가 쓰임을 받는다는 성취감에 늘 목말라 있었다. 그래서 내 일이 다른 일에 비해 쓸모없게 느껴질 때마다 괜한 열패감을 느꼈고, 그 무력감은 끝내 스트레스가 되어 나를 압박해 왔다. 결국 '나쁘지 않았던' 회사의 조건들이 '나쁜' 조건으로 변했고, 퇴사를 하는 과정에서 조직으로부터, 사람들로부터 상처를 받게 되었다. 이것이 나의 첫 퇴사였다.

치기 어렸던 20대의 나는 당당하게 전쟁터를 박차고 나왔지만 그땐 몰랐다. 밖은 더 지옥이라는 것을. 아직 어리다는 자신감 하나로 그래도 한동안은 구직

활동을 했고, 짧은 경력을 인정받아 어렵지 않게 이직에 성공했다. 여기까지는 누구나 겪는 흔한 이직의 과정이었고 나도 당연히 그런 줄로만 알았다.

그때부터였다. 몸에 이상 증세가 느껴지던 게.

이직한 지 일주일쯤 되던 날, 나는 출근 직전 회사 문 앞에서 맥없이 주저앉아 버렸다. 온몸에 식은 땀이 흘렀고, 흥건해진 옷소매로 이마를 훔쳐내는데도 바닥에 땀이 뚝뚝 떨어졌다. 갑자기 숨이 안 쉬어졌다. 태어나 처음 겪는 일이었다. 그 후로도 몇 번씩 이상한 증상들이 찾아왔고, 나는 결국 한 곳에 오래 뿌리를 내릴 수 없는 상태가 되었다. 낯선 곳에 적응할 시간도, 새로운 사람들과 어울릴 열정도, 일을 다시 시작할 설렘도 순식간에 사라져 버렸다. 내 몸에 남아있던 에너지가 전부 소진된 느낌이었다.

그렇게 나는 이직한 회사도 아주 짧게 다니고 또 그렇게 돌연 그만두었다.

전조 증상 둘,
오랜 연애의 끝

퇴사 후 나는 이전과는 전혀 다른 사람이 되어 있었다. 밝고 유쾌했던 모습은 온데간데없고 내 몸은 시든 이파리처럼 나날이 쇠약해져 갔다. 갑자기 나타난 이상 증세는 시간이 가면서 찾아오는 빈도가 잦아졌고, 그럴수록 나는 계속 땅굴을 파고 안으로 들어갔다. 하루하루 피가 말라가는 나를 남자친구는 한동안 그저 말없이 지켜보기만 했다. 얼마나 놀랐을까. 아마 옆에 있어 주는 것 말고 그때 그가 할 수 있는 건 아무것도 없었을 것이다. 마주 보고 있어도 초점을 잃어 방황하던 내 눈동자가 그를 얼마나 무력하게 만들었을지.

만난 지 6년이 되던 그해 어느 날, 나는 그에게서

그만 만나자는 얘기를 들었다. 그 시각 우리는 평소와 다름없이 지방에서 야구 경기를 보고 돌아오는 길이었다.

그날은 유독 이상한 날이었다. 항상 다정하고 말이 많았던 그는 그날따라 카페에서도, 야구장에서도, 기차에서도 말이 없었다. 우리는 햇수로 6년을 만났고, 서로의 20대를 반 이상 함께 보냈다. 나라고 왜 이별의 시그널을 몰랐을까. 언젠가부터 내가 그의 마음 한구석으로 서서히 밀려나고 있다는 걸 짐짓 알고 있었지만 애써 외면하고 모른 척했다.

몇 번의 헤어짐과 만남을 반복했던 우리였지만 이번에는 확실히 달랐다. 나는 무작정 그의 팔을 잡고 매달렸다. 그는 마음이 여려 나보다 늘 눈물이 많은 사람이었다. 그래서 우는 그를 달래는 건 언제나 내 몫이었다. 그런 그가 몇 시간째 멈추지 않고 울부짖는 나를 보면서도 끝내 울지 않았다. 습기가 가득한 초여름이었지만 그날의 그는 꽁꽁 얼어서 어떻게 해도 녹지 않는 아주 차가운 겨울이었다.

　　　　　　　　나에게 안녕을 묻는다

나는 두 시간 넘게 그의 옆자리에서 울기만 했다. 사람들이 힐끗대며 쳐다보고 있었지만 그런 것 따위는 하나도 중요하지 않았다. 이별을 통보 받은 순간부터 기차가 목적지에 도착할 때까지 내 목표는 오로지 그를 붙잡는 것이었다. 그때 우는 것 말고 내가 할 수 있는 건 없었다. 그를 붙들고 흔들며 내가 유일하게 내뱉은 말은 왜 하필 지금이냐는 울분이었다.

왜, 하필, 지금.

다른 때도 아니고 내가 이렇게 힘들 때 꼭 그랬어야만 했을까, 그가 원망스러웠다. 하지만 이렇게 울고불고 매달려도 그가 더는 잡히지 않을 거라는 걸 아마 나도 온몸으로 느끼고 있었던 것 같다. 우리 사이에 무겁게 내려앉은 공기가, 울고 있는 나를 보며 담담히 미소 짓던 표정이, 이미 모든 걸 체념한 듯 애처로운 그 눈빛이 꿈이 아님을 말해 주고 있었다.

내 우주가, 내 청춘이 모두 무너져내려 버렸다.

한순간에 내가
사라질 수만 있다면

그날 이후 나는 꼬박 1년을 앓았다. 모름지기 힘든 일은 한꺼번에 몰려온다고 했던가. 애석하게도 고통에는 질량 보존의 법칙이 성립하지 않았다. 그때 나에게는 매일 아침 출근해야 하는 회사도, 수시로 내 안위를 걱정해 주는 남자친구도 없었다. 아무런 의욕도 생기지 않았다. 햇빛이 방에 들어오는 게 무서워 대낮에도 암막 커튼을 한 번도 걷지 않고 불도 켜지 않은 채 지냈다. 집에 들어오는 빛이라고는 암막 커튼에 박힌 별 무늬 사이로 들어오는 잠깐의 햇빛이 전부였지만 그것마저 너무 눈부셔 눈을 뜰 수가 없었다. 4평 남짓한 아주 작은 내 방, 감옥 같은 오피스텔 623호에서 나는 오지도 않을 출소일만 기다리는 무기 징역수처럼 죽지 못해 살았다.

나에게 안녕을 묻는다

내 방은 24시간이 캄캄한 밤이었는데도 잠이 오지 않았다. 매일 편의점 음식과 배달 음식으로 끼니를 때웠다. 편의점에 갈 때를 제외한 나머지 시간은 모두 집에만 틀어박혀 있었다. 잠깐 외출할 때조차 사람들을 마주하는 게 무서워 얼굴부터 발끝까지 꽁꽁 싸매고 다녔다. 늦은 새벽에 야식을 먹지 않으면 잠이 오지 않았고 내가 뭘 먹고 있는지도 인지하지 못할 정도로 끊임없이 입에 뭔가를 욱여넣었다. 그렇게 구토가 나오기 직전까지 먹고 나서야 겨우 잠에 들 수 있었지만 눈을 떠 보면 고작 한 시간이 지났을 뿐이었다. 침대에 누워 뜬 눈으로 천장만 보며 밤을 새우거나 반대로 하루 종일 잠만 자는 날들의 연속이었다. 잠을 못 자니 매 순간이 각성 상태였고 단 하루도 정신이 몽롱하지 않은 날이 없었다.

　아주 길고 깊은 터널 속에 갇힌 것 같았다. 사방이 깜깜해 한 발짝도 디딜 수 없는 그런 암흑천지. 소리를 치고 불러 봐도 바람 하나 없는 지독하게 고요한 정적. 언제쯤 이 터널이 끝날지, 어떻게 해야 이곳을 빠져나갈 수 있을지 당최 알 수 없어서 나는 더욱더 깊은 터널 속으로 빨려 들어가는 수밖에 없었다. 끝없이, 끝없이.

밤마다 내일이 오지 않았으면 했다. 눈을 감아도 밤이고 눈을 떠도 밤인데 그럴 거라면 차라리 이대로 영영 눈이 떠지지 않았으면 했다. 죽기 위한 노력조차 귀찮게 느껴졌다. 죽을 용기는 없고 그렇다고 살아갈 자신은 더 없고, 그냥 노력 없이 한순간에 이 세상에서 사라졌으면 했다. 내가 할 수 있는 거라곤 이 지겨운 시간이 지나가기만을 기다리면서 그저 멍하게 누워 하루를 흘려 보내는 것뿐이었다.

옆으로 누워 두 다리를 웅크린 채 눈을 감으면 깊은 바다 가운데 내가 둥둥 떠다니는 기분이 들었다. 조금의 움직임도 없이, 어떠한 중력도 받지 않고 아기처럼 누워 있는 내 모습이 꿈처럼 아득하게 느껴졌다. 숨 쉬는 것마저 귀찮아졌고 하루를 살아 내는 것 자체가 고역이었다. 회사를 그렇게 쉽게 박차고 나오는 게 아니었는데, 조금 더 신중했어야 했는데, 남자친구에게 그렇게 모질게 대하는 게 아니었는데,

나에게 안녕을 묻는다

하는 후회들이 나를 잠식했다. 어느새 내 몸은 몇 달 사이에 20kg 가까이 불어나 더욱 아무것도 하고 싶지도 않고 할 수도 없게 되었다. 시간이 갈수록 나는 점점 더 스스로를 갉아먹었고 머릿속은 온통 자책으로 가득했다. 단 하루도 울지 않고 보낸 날들이 없었다. 자꾸만 나쁜 생각이 들었고 상상 속에서 나는 이미 수백 번, 수천 번 죽었다.

뭔가 잘못됐다고 생각했다

어느 날 문득 내가 도로에 뛰어드는 모습을 상상했다. 한 번 시작한 상상은 끝없이 가도를 달렸고 점점 더 선명하게 머릿속에 그려졌다. 그러다 정신을 번뜩 차려 보면 내 몸은 어느새 인도와 차도의 경계에 위태롭게 서 있었다. 달려오는 차들의 경적 소리, 내 앞을 지나갈 때 쌩, 하고 나는 바람 소리, 타이어가 아스팔트와 마찰을 일으키는 소리가 아주 가깝게 들렸다. 도로 위 곳곳에서 뿜어내는 환한 전조등 속에 멍청한 표정을 한 내가 있었다.

"얘들아, 난 매일 차도에 뛰어드는 상상을 해."

누구보다 내 상황을 잘 알고 있던 친척 동생들은

종종 지하철을 타고 내가 있는 곳까지 나를 보러 와 주곤 했다. 가족이기 이전에 나에겐 너무나 소중한 친구들이었다. 동생들과 함께 있으면 그나마 잠깐이라도 웃을 수 있었으니까. 무심코 꺼낸 내 말에 동생들의 얼굴이 순간 일그러졌다.

"언니, 근데 차에 받히면 아플 것 같지 않아?"
"아니, 난 오히려 편안할 것 같은데."

한참을 생각하다 건넨 그녀들의 물음에 나는 도로에 뛰어들어 달려오는 차와 부딪히는 내 모습을 또 한 번 상상했다. 기왕이면 아주 빠른 속도로 달리는 차를 떠올렸다. 내 몸이 공중에 붕 떠 있는 장면이 슬로 모션으로 눈앞에 그려졌다. 신기하게도 고통스러운 느낌이 전혀 들지 않았다. 오히려 그렇게 된다면 지금 이 괴로움을 영원히 끝낼 수 있지 않을까, 하는 생각이 먼저 들었다.

순간 정신이 아찔했다. 죽음에 대한 상상이 나도 모르는 사이 점점 확신으로 변해 가고 있었다. 죽을 용기도, 자신도 없었던 내가 어느새 구체적으로 죽는 상황까지 생각하고 있었다. 이러다 잠깐 정신을 놓으면 당장이라도 실행에 옮겨 버릴 것만 같았다.

'병원을 가야겠다.'

그제야 나는 직감했다. 나 지금 위험하다고.

그때 나는 절박했던 것 같다. 역설적이게도 삶이 너무 소중해서 죽고 싶었고, 살아갈 자신이 없어서 삶을 포기해 버렸다. 그래서 내 몸이 보내는 수많은 아픔의 신호들을 계속 외면해 왔다. 그 신호들은 어쩌면 살려 달라고 몸부림치는 내 안의 아우성이었는지 모른다. 꼬박 1년을 죽음과 가까이 지냈지만 끝내 나는 죽음을 선택하지 않았다. 외줄 타기하듯 아슬아슬하게 죽음의 문턱에 서 있다가 뒤돌아보니 이상하게도 갑자기 살고 싶어졌다. 더욱 절실하게.

제 발로 찾아간 신경 정신과

"이곳에 오는 사람들이 가장 어려워하는 게 뭐라고 생각하세요?"

처음 병원을 찾았을 때 의사 선생님은 나에게 불쑥 희한한 질문을 던졌다. 그러면서 누구나 여기까지 오는 일이 가장 어려운 거라고, 그러니 내가 지금 이렇게 진료실에 앉아 있는 것만으로도 나는 이미 절반은 나아지고 있는 거라고 했다.

병원을 가야겠다고 생각했지만 우울증이라는 걸 평생 모르고 살았던 나에게 정신과는 진입 장벽이 너무 높게 느껴졌다. 그런 곳은 여전히 뉴스나 드라마에 나오는 '정말 이상한 사람들이 가는 곳'이라는 생각이 들어 자꾸만 망설여졌다. 하지만 이미 오래 전부터 병들어 가고 있는 내 몸과 마음을 더는 이대로 그냥 두면 안 될 것 같았다. 그래서 며칠 동안 아무것도 하지 않고 정신과 병원만 들입다 검색했다. 용기를 내 몇 군데 전화도 해 봤지만 예약이 꽉 차서 한 달이 지나야 방문이 가능하다는 답을 들었다. 막상 병원에 가야겠다고 마음을 먹으니 한시가 급하게 느껴졌다. 이미 1년 넘게 시간을 허비한 나에게 한 달을 더 기다리는 건 또 다른 고통이었다.

그래도 여전히 정신과를 제 발로 찾아가는 건 너무 어려운 일이었다. 1년 동안 손가락 하나 까딱하는 것도 힘들었는데 한순간에 정신이 들어 갑자기 벌떡 일어날 리가 없었다. 그렇게 간단하게 해결될 거였으면 애초에 이렇게 오래 아프지도 않았겠지.

병원을 알아보고, 그 많은 병원들 중에서 나름의 기준으로 선택을 하고, 전화를 걸어 예약을 하고, 옷을 입고 문밖을 나가기까지… 모든 것들이 내 의지와 결정이 필요한 일이었지만 그에 비해 내가 가진 힘은

나에게 안녕을 묻는다

한없이 약했다. 검색만 잔뜩 하다 포기하고, 전화를 걸었다가 겁이 나 다시 끊고, 한 달을 기다려야 한다는 말에 금세 좌절하기를 며칠째 반복했다.

하지만 나는 병원에 가야 했다. 그냥 그래야 할 것 같았다. 이 상황에 병원에라도 가지 않으면 어디에도 기댈 데가 없을 것 같아서 다급한 마음에 예약을 하지 않아도 되는 가까운 병원을 무작정 찾아갔다.

초진이라 차트에 인적 사항을 적고 소파에 앉아 차례를 기다렸다. 30분 정도 지났을까. 사람들이 하나둘 들어와 익숙한 듯 대기석에 앉았다. 낯설고 불편한 느낌에 연신 주위를 두리번거리는데 분명 조금 전까지는 아무렇지 않았던 사람들의 모습이 갑자기 다르게 보이기 시작했다. 왠지 차림새도 추레하고, 어딘가 모자란 것만 같고, 정말 '정신병'에 걸린 사람들처럼 보여서 순간적으로 겁에 질렸다. 마치 지금 내가 있어서는 안 될 곳에 있기라도 한듯 심장이 마구 요동쳤다. 급한 일이 생겼다고, 다음에 오겠다고 하고 내 인적 사항을 적은 종이를 홱 낚아채 황급히 병원을 뛰쳐나왔다. 평일 낮 시간, 노인들만 드문드문 있는 한산한 지하철 귀퉁이에 앉아 집으로 돌아오는 내내 한참을 울었다. 나는 병원 하나 가는 것도 이렇게 힘들구나. 뭐 하나 제대로 되는 게 없구나. 또 한 번 엄청난 좌절을 느꼈다.

행복은 너무 멀리 있었다

　정신과 문턱에서 한 번 절망에 빠진 후, 잠깐 반짝했던 의지는 이내 사그라들어 또 한참을 무기력하게 지냈다. 여전히 나는 난데없이 불쑥 찾아온 이 증상을 쉬이 받아들이지 못하고 있었다. 이불 속으로 자꾸만 파고드는 몸처럼 나쁜 생각은 꼬리에 꼬리를 물고 계속 나를 괴롭혔다. 다시 용기를 내기까지 억겁의 시간이 걸렸지만 달리 방도가 없어서 나는 이번에도 무방비 상태로 꽤 오래 아파야 했다.

　얼마의 시간이 지났을까. 겨우 몸을 일으켜 이번에는 다른 병원을 가 보기로 했다. 지난번처럼 성급하게 생각하지 말자고, 차근차근 다시 알아보자고 나를 타이르며 마음을 추슬렀다. 이왕이면 알려진

데가 낫지 않겠나 싶어서 일부러 대중 매체에 노출이 많이 된 유명한 병원을 찾아갔다. 예약도 하고 나름대로 담당 의사도 미리 검색해 보면서 진료일까지 차분히 기다렸다. 집에서 한 시간이나 걸리는 데다 버스도 두 번을 갈아타야 했지만 부디 괜찮은 곳이기만을 바랐다. 단지 그것뿐이었다.

접수를 하고 진료를 기다리는 동안 괜히 아무렇지 않은 척, 멀쩡한 사람인 척 병원을 여기저기 살피며 돌아다녔다. 정신과 병원 안에 들어와 있는 내가 여전히 적응되지 않았고 다른 사람들에게 어떻게 비칠지도 무서웠는데 평일이라 사람이 많이 없어서 다행이었다. 입원실이 적힌 층별 안내도를 보며 우울증으로 입원까지 할 정도면 얼마나 심각한 상태인 걸까, 잠시 생각도 했다.

드디어 내 이름이 불렸고, 진료실 문을 열고 마주한 생각보다 꽤 젊은 의사에 실망감이 먼저 들었다. 오랜 경력을 가진, 왠지 중후한 멋을 풍기는 중년의 의사를 기대했는데 예상과 달리 의사는 고작 나와 몇 살 차이 나지 않는 내 또래로 보였다. 동년배 의사에게 내 이야기를 솔직하게 다 털어놓을 수 있을까, 혹시 나를 이상하게 보지는 않을까, 약간 자존심도 상했지만 괜한 기우였다.

의사는 한 시간 넘게 내 얘기를 묵묵히, 끝까지 들어 주었다. 아무에게도 말하지 못했던 내 안의 응어리를 누군가에게 털어놓는다는 것만으로도 그때 나에게는 아주 큰 위로가 되었다. 덕분에 처음에 느꼈던 경계심이 상담을 진행하며 서서히 풀어져 어느새 자연스럽게 선생님으로 호칭이 바뀌었다. 한 시간 가량 내 상태를 담담히 말하고 나자 선생님은 나에게 생소한 의학 용어를 알려주었다.

– 병인, 자신의 병을 인지하는 정도.

그러면서 나는 내 마음에 대해 아주 잘 알고 있다고 했다. 그걸 어떻게 모를 수가 있냐는 웃음 섞인 내 반문에 선생님은 아프다는 사실을 모르거나 모른 척하는 사람들이 훨씬 많다고 했다. 스스로의 상태를 이미 알고 있는 것만으로도 대단한 거라는 말에 조금은 안심도 됐다. 그렇지만 나는 나를 너무 잘 알아서 오히려 괴로운 쪽에 속했다. 한편으로 내 마음이 아프다는 걸 몰랐다면 나도 남들처럼 대수롭지 않게 넘기고 가볍게 지나갈 수 있지 않았을까, 하는 연민도 들었다. 내 속에서는 나를 잘 아는 마음과, 알면서도 외면하고 싶은 마음이 항상 치열하게 싸웠다. 때로는 나 자신을 잘 알고 있다는 것이 나를 고통 속에 빠트리기도 하니까.

몰랐다면 어땠을까. 지금보다 조금은 행복했을까.

나에게 안녕을 묻는다

2부

나의 리틀 포레스트,
나의 제주

나의 안녕을 위한 첫 걸음

"언니, 제주도에 가서 한번 살아보는 건 어때?"

무심코 내뱉은 친척 동생의 말에 나는 곧장 짐을 싸고 제주행 비행기에 올랐다.

일주일에 한 번씩 병원에 가서 상담을 받고 약을 처방 받아 왔지만 나는 여전히 무기력에 잠식되어 있었다. 우울증을 앓는 동안 내가 제일 두려웠던 건 우울도, 불안도, 불면도 아닌 무기력이었다. 흔히들 게으름과 나태함의 핑계 정도로 쉽게 생각하지만 나는 경험으로 알고 있었다. 무기력이 얼마나 무서운 것인지를. 그래서 나를 옥죄어 오는 무기력을, 감옥 같은 내 방을, 숨 막히는 서울을 벗어나고 싶었다. 단순한

리프레시 그 이상의 돌파구가 필요했다. 그냥 흘려 넘길 수도 있었던 말 한 마디였지만 나는 지푸라기라도 잡는 심정으로 덥석 물었고, 결국 그 마음이 나를 움직이게 만들었다. 무모할 수도 있는 결정이었지만 그때 나는 더 이상 잃을 것이 없었다.

정신과 외에도 매주 상담을 받으러 다녔다. 심리 상담 센터를 한창 검색하면서 나처럼 마음이 아픈 사람들이 많다는 생각이 들어 왠지 짠하기도 했다. 적당한 곳을 찾긴 했지만 백수에게는 비싼 상담료를 감당할 재간이 없었다. 그래서 센터에 나의 열악한 경제 상황을 읍소했고, 다행히 대학원 과정을 밟고 있는 인턴 선생님에게 저렴하게 상담을 받게 되었다. 의사보다는 한층 더 심도 있는 상담을 해 줄 거라는 기대와, 동시에 이 사람에게 내 속 얘기를 다 털어놓아도 될지에 대한 의심을 한가득 안고 상담을 시작했다. 처음에는 아무래도 경계심이 있어서 상투적인 얘기만 하고 돌아왔지만 선생님은 푸시하지 않고 천천히 기다려 주었고, 덕분에 나는 조금씩 마음의 문을 열 수 있었다.

"주위 사람들에게 '잘 지냈어? 어떻게 지내?'라고 안부를 묻는 것처럼 나에게도 안녕을 물어본 적 있나요?"

어느 날 상담 선생님이 던진 질문에 나는 한동안 말을 잇지 못했다. 살면서 전혀 생각해 보지 못한 종류의 발상이었다. 왜 지금껏 이런 생각을 하지 못했을까. 다른 사람들에게는 인사치레로 그렇게 자주 하던 말이었는데. 오늘 내 기분은 어떤지, 요즘 나는 잘 지내고 있는지, 하는 것들의 안부를 정작 나에게는 물어본 적이 없었다. 단 한 번도.

그렇게, 나는 살기 위해 이곳 제주에 왔다. 나에게 안녕을 묻기 위해서.

나에게 안녕을 묻는다

역마살의 종착지가
제주도라니

인생이 바뀌는 순간은 때로 인식하지 못하는 사이 순식간에 일어나기도 한다. 내가 제주도에 오게된 것처럼. 고2 때 수학여행, 그리고 대학생 때 동기들과 2박 3일 여행을 왔던 게 전부였던 제주도. 딱히 인상 깊었던 추억거리도 없거니와 남들처럼 제주도에 대한 로망이 있던 것도 아니었다. 그 어떤 기대도, 계획도 없었기에 그래서 더 망설임 없이 행동에 옮길수 있었던 것 같다.

제주도에 가야겠다고 마음을 먹자마자 비행기를 타고 당일치기로 방을 계약하고 돌아왔다. 내 미래는 죽음밖에 없다고 생각했는데 막상 방을 계약하고나니 갑자기 뭐든 할 수 있을 것만 같았다. 일시적인 기분이긴 했지만 그래도 이상하게 없던 힘이 생기는 듯했다. 오랜만에 느껴 본 설렘이었다. 괴롭기만 했던 도시 생활을 청산하고 제주도에 간다고 생각하자 그제야 숨이 쉬어졌다. 성인이 된 후 줄곧 유지하던 긴 머리도 과감하게 짧게 잘라 버렸다. 중학생 때 이후로 십여 년 만에 처음 해 보는 단발머리였다. 내 마음처럼 무겁게만 느껴졌던 머리카락을 자르고 나니 조금이라도 기분이 나아지는 것 같았다.

그리고 바로 제주도에서 내가 할 수 있는 일을 찾아봤다. 이제껏 서울에서도 안 되던 걸 제주도라고 뭐가 다를까, 하는 생각이 들다가도 낯선 곳이 주는 자유로움이 왠지 마음을 편안하게 해 주었다. 어쩌면 그래서 나는 선뜻 제주도에 왔는지 모른다. 내가 어떤 삶을 살았는지, 어떤 아픔이 있는지 아무도 모른 채 그저 있는 그대로의 나를 마주하고 드러낼 수 있는 곳. 나에겐 그게 제주도였다.

어릴 때부터 도망치는 게 일상이었던 나는 전국 곳곳을 떠돌아다니며 지냈다. 좋게 말해 여행처럼

나에게 안녕을 묻는다

사는 자유로운 삶이었지만 실상은 도피라는 걸 누가 뭐래도 나는 알고 있었다. 눈앞에 맞닥뜨린 현실이 무서워 번번이 숨고 피하고 외면했지만 도망친 곳에 결코 낙원이란 없었다. 친구들은 늘 내가 도전하는 모습이 멋지다고, 도피하는 것도 하나의 도전인 거라고 추켜세워 줬지만 나는 그런 칭찬을 들을 때마다 낯뜨겁고 민망해서 쥐구멍에라도 숨고 싶었다. 정작 내가 나 스스로를 부끄럽게 생각했기 때문이었다.

한 곳에 오래 정착하지 못하고 표류하는 내 삶에도 언젠가 진득하게 머물 수 있는 곳이 나타나지 않을까. 이 많은 곳들 중에서 나에게 맞는 곳이 그래도 하나쯤은 있지 않을까. 불편한 마음으로 정처 없이 유랑하면서도 나는 늘 꿈꿔 왔다. 그런 나에게 제주도라는 곳이 부디 역마살의 종착지가 되길 바랐다.

생존을 위한 제주살이

모든 걸 내려놓고 본격적으로 '살기 위한' 제주살이를 시작했다. 가장 먼저 주민 센터에 가서 전입 신고를 했다. 운전면허증 뒷면까지 가득 채운 주소들 맨 아래에 '제주특별자치도'가 찍혔고, 그제야 내가 진짜 제주도에 왔다는 게 실감이 났다. 한편으로는 빼곡한 주소들을 보며 그동안 나의 도피처가 되어 주었던 집들이 생각나 조금 씁쓸하기도 했다.

어떤 순간은 우연처럼, 혹은 운명처럼 일어난다. 어떻게 그런 선택을 했는지 지금 생각해도 신기하지만 아이러니하게도 나는 스타벅스에서 일을 하기로 결정했다. 우울증, 불안 장애, 대인 기피와 정반대에 있는 직종이 있다면 그건 아마도 서비스직일 것이다.

그럼에도 나는 그 일을 택했다. 처음 제주도에 오겠다고 다짐했을 때처럼 삽시간에 일어난 일이었다.

전입 신고를 한 후 짐을 풀 시간도 없이 바로 스타벅스에서 일을 시작했다. 일자리를 미리 구했던 게 천만다행이었다. 1년 동안 칩거 생활을 하다 갑자기 제주도에 온다고 모든 게 한 번에 뽕, 하고 해결될 리 없었다. 막상 제주도에 살면서도 전처럼 일을 하지 않았다면 장소만 바뀌었을 뿐 똑같이 지옥 속에 살고 있을 것이었다.

제주도에서도 당분간 회사를 다니는 건 어려울 것 같았다. 또다시 그때처럼 이상 증세가 나타날까 두려웠고, 회사를 그만두는 상황을 상상하기만 해도 아찔하고 무서웠다. 그렇다고 이 시점에 스타벅스라니. 아르바이트하던 어릴 때와는 상황이 완전히 달라졌는데 정말 할 수 있을까. 걱정이 꼬리에 꼬리를 물었지만 내가 내린 결론은 일단 한번 해 보자는 거였다. 이런 게 여행지가 주는 특권이 아닐까. 나를 모르는 곳에서는 새 출발을 다짐하기가 훨씬 수월하니까.

스타벅스라는 곳은 파트타임으로 일하며 나머지 시간을 자유롭게 활용할 수 있었고, '알바'가 아닌 '정규직' 타이틀이 주는 안정감도 있었다. 직급 대신에 닉네임을 부르는 수평적인 조직 문화도 마음에 들었다. 무엇보다 몸은 힘들지만 바쁘게 일하다 보면 쓸데없는 걱정과 나를 괴롭히는 망상을 조금은 덜하게 되지 않을까, 하는 생각이 컸다. 워낙 빡세다고 악명 높은 스타벅스였지만 그런 점이 지금의 내 삶과 너무나도 달랐기 때문에 오히려 더 끌렸던 것 같다. 나름대로 고안해 낸 극약 처방이었다.

본격적으로 일을 시작하기 전, 앞으로 사용하게 될 닉네임을 정했다. 대학교 영어 교양 수업 때 즉흥적으로 만든 이름이 있었지만 문득 지금 나에게 의미 있는 새로운 이름을 만들고 싶었다. 각 사이트를 뒤져가며 이것저것 영단어를 검색했고, 오랜 고민 끝에 내 닉네임은 '브리즈(breeze: 산들바람, 미풍)'가 되었다. 앞으로의 내 삶이 고통으로 점철된 것에서 벗어나 부디 선선한 바람처럼 무탈하고 평온하길 바라는 마음에서였다.

나에게 안녕을 묻는다

스타벅스 바리스타
브리즈의 일일

어떤 일이든 원래 처음은 어려운 법이라 했던가.
스타벅스에서의 시작 역시 그리 순탄치는 않았다.

우선 엄청난 양의 음료와 부재료의 레시피를 외워
야 했다. 나는 파트너들 중 두 번째로 연장자였는데,
주변에서는 내가 한참 어린 친구들 사이에서 잘 적
응할 수 있을지 걱정을 많이 했었다. 하지만 나는 새
로 시작한다는 마음이었기 때문에 나이는 전혀 신경
쓰지 않았다. 예상했던 대로 생소한 일을 배우는 데
급급해서 힘들다는 생각 외에는 다른 잡념에 빠질
겨를이 없었다. 다만 빠릿빠릿하고 체력 좋은 20대
초반의 어린 친구들보다 손동작도 느리고 몸이 굼떠
일할 때마다 자꾸 실수를 했다. 갑자기 안 하던 일을

하려니 레시피 하나 외우는 것도 쉽지 않았고, 다른 파트너들에 비해 뒤처지는 내가 작게 느껴졌다. 어느새 나는 파트너들 사이에서 걱정거리가 되어 있었고, 부정적인 피드백을 듣는 날이 많아지니 점점 위축되었다. 나는 정말 일머리가 없는 걸까, 센스가 부족한 걸까, 눈치가 빠르지 않은 걸까, 라는 생각에 좀처럼 진전이 없는 내가 마냥 답답하고 한심했다.

고객을 상대하는 것도 녹록지 않았다. 내가 일하는 매장은 오피스 상권에 있어서 관광객보다는 단골이 많았는데, 스타벅스 브랜드에 대한 그 고객들의 기대치가 매우 높았다. 그만큼 소위 진상 고객들이 넘쳐나는 곳이었다. 신입이다 싶으면 일부러 못 알아듣게 빠르게 주문하는 사람, 트집을 잡아 화풀이를 하는 사람, 음료를 제대로 만드는지 동물원 원숭이 보듯 빤히 쳐다보는 사람, 욕설을 퍼부으며 인신공격을 하는 사람……. 직접 겪고도 믿기지 않을 만큼 각양각색의 무례한 사람들을 응대하는 게 보통 일이 아니었다. 술에 취해 아가씨라 부르며 반말을 하는 아저씨들은 귀여운 수준이었다.

나에게 안녕을 묻는다

대놓고 무시를 하거나 하대하는 사람들도 있었다. 보통 서비스직은 고객이 컴플레인을 걸어오면 일단 잘못했다고 사과부터 해야 했기 때문에 서러운 적도 한두 번이 아니었다. 세상에는 참 별별 사람이 존재한다는 생각이 들면서도 저런 사람들도 멀쩡하게 일상생활을 하는데 나는 왜 이렇게 못할까, 라는 자괴감이 들어 씁쓸할 때도 많았다.

어느 날 새벽, 점장에게서 다급하게 연락이 왔다. 휴무라서 쉬고 있었는데 지금 바로 매장으로 오라는 거였다. 점장은 다짜고짜 CCTV 영상을 보여주며 불같이 화를 냈다. 화면 속 나는 포스기 앞에 서서 주문을 받고 있었다. 맞은편 여성 고객은 텀블러 하나를 들고 있었고, 나는 텀블러를 건네받아 가격표를 살펴본 후 너무나 태연하게 계산을 하지 않고 그대로 고객에게 돌려줬다.

"저 이거 찾느라 새벽 두 시까지 집에 못 갔어요."
"CCTV 보고 너무 어이가 없어서 이유 들으려고 연락 드렸어요."

"정말 왜 그러신 거예요?"

"정당한 사유 못 찾으면 제가 물어내야 해요."

"이런 일 또 일어나면 그땐 진짜 같이 근무하기 힘들어요."

CCTV 화면 속에 있는 사람은 분명 내가 맞았다. 하지만 전혀 기억나지 않았다. 불과 어제의 일이었는데 아무리 기억을 더듬어 봐도 생각나는 게 없었다. 머릿속이 새하얘졌다.

'대체 내가 왜?'

실수하는 것보다 기억나지 않는다는 게 더 큰 문제였다. 문득 지금까지 일하면서 순간순간 이상하다고 느꼈던 내 모습들이 떠올랐다. 남들보다 레시피를 외우는 데 시간이 유독 오래 걸렸던 것도, 부재료 위치를 자꾸 잊어버리던 것도, 음료를 만들다 갑자기 머리가 멍해지던 것도, 오픈 때마다 늦게 일어나 지각을 했던 것도, 이 모든 게 단순히 정신없이 바쁘고 힘들어서 그런 거라고 생각했었다.

나에게 안녕을 묻는다

나는 곧바로 병원으로 향했다. 한동안은 병원을 계속 다녀야 했기에 제주도에 내려오자마자 예약해둔 병원이었다. 혹시나 하는 마음으로 선생님에게 털어놓았지만 역시나 내가 염려했던 게 맞았다. 약 기운이 너무 강해 종일 몽롱한 상태로 잠에 취해 있으니 일에 집중을 할 수가 없었던 것이다. 이게 말로만 듣던 항우울제의 부작용이라는 건가. 선생님은 약을 먹은 지 얼마 되지 않았으니 충분히 그럴 수 있다고, 용량을 줄이면 괜찮아질 거라고 나를 안심시켰다. 다시 살아보려 제주도에 왔는데도 나는 여전히 내 몸과 마음을 돌보지 않았다. 이렇게 일에 지장을 줄 만큼 몸이 이상해지고 있었는데 내가 멍청해서 그런 거라 생각하고 그냥 내버려 두다니. 약이 무섭다는 생각을 하면서도 한편으로는 내 상태에 너무 무심했다는 생각에 또 계속 자책을 했다.

다행히 시간이 약이라는 말처럼 새로운 일을 배우는 것도, 낯선 사람들을 만나는 것도 시간이 지나며 조금씩 익숙해졌다. 음료를 제조하는 것도 손에 익으니 속도가 붙었고, 진상 고객 앞에서 우물쭈물하지 않고 웃으며 응대하는 법도 익혔다. 나보다 한참 어린 선임 파트너에게 무례한 말을 들었을 때도 혼자 삭이며 끙끙 앓지 않았고, 조곤조곤 내 기분을 얘기하면서 타협점을 찾아가는 여유도 생겼다. 실수투성이에 걱정거리였던 파트너에서 나는 어느새 '일 잘하는 성실한 브리즈'가 되어 갔다.

나를 살게 한 건
8할이 자연이었다

스타벅스가 여느 회사들처럼 9 to 6 근무가 아니라는 점도 내 마음이 치유되는 데 한몫했던 것 같다. 스타벅스에서는 적게는 네 시간, 많게는 여덟 시간을 일하기 때문에 휴무나 근무 외 시간에는 무조건 바다를 보러 갔다. 장롱면허라서 대중교통을 이용하거나 걸어 다닐 수밖에 없었는데, 나는 30분이 걸리든 두 시간이 걸리든 웬만하면 걸어 다녔다. 바다를 보는 것도 좋았지만 바다를 보러 걸어가는 시간들이 참 좋았다. 갑갑했던 서울과 달리 제주도는 빼곡한 사람들도, 꽉 막힌 고층 건물도 아닌, 어디를 돌아봐도 온통 자연이었다. 곳곳에 풍성한 야자수들이 즐비해 있었고 어딜 가든 아는 사람이 없다는 사실이 나를 자유롭게 했다.

좋아하는 음악을 들으며 걷다가 고개를 들면 비행기가 날아가는 게 보였다. 여름에 땀을 뻘뻘 흘려 티셔츠가 축축해지고 몸에서 땀 냄새가 나도 걷는 게 좋았다. 카메라 셔터를 누르는 순간이 많아졌고 아스팔트에 무심하게 자란 풀꽃들을 보며 생명력을 느낄 때도 있었다. 예전이었다면 그냥 지나쳤을 것들이었는데 삶을 대하는 태도가 조금씩 바뀌고 있었다. 언제든 조금만 걸어가면 바다가 있었고 저 멀리 수평선이 보이면 나도 모르게 소리를 질렀다. 예쁜 꽃이 있으면 이름을 검색하기도 하고, 비행기가 머리 위로 지나갈 때 손을 흔들기도 하고, 아름다운 풍경을 보면 멈춰 서서 사진을 찍기도 했다. 그래서 언제나 예정된 시간보다 족히 두 배는 더 걸려서 도착했지만 그래도 마냥 좋았다.

바다에 도착하면 항상 아무렇게 앉아 멍하니 바다를 보는 게 전부였지만 그 자체만으로도 행복했다. 관광객이 많은 해수욕장보다는 조용하고 한적한 포구가 더 좋았다. 높은 방파제에 걸터앉아 잔잔한 바다를 보면 절로 마음이 고요해졌다. 그 순간만큼은

폭풍처럼 휘몰아치던 우울함도 사라졌다. 끝없는 잡념과 망상들이 24시간 머릿속을 지배해 괴로웠지만 바다를 볼 때는 아무런 생각이 나지 않았다. 어떨 때는 깊은 수심에 빨려 들어갈 것 같아 무섭기도 하고 나도 모르게 왈칵 눈물이 나올 때도 있었다. 마음이 지나치게 우울하거나 괴로운 날이면 아무도 없는 곳에서 바다를 앞에 두고 펑펑 울기도 했다. 한바탕 울고 나면 속이 후련해졌다. 날이 맑으면 맑은 대로 좋았고, 날이 흐리면 또 흐린 대로 좋았다. 그냥 바다를 보는 모든 순간이 좋았다.

해가 쨍한 날에는 엄마가 사준 굽 높은 등산화를 신고 올레길을 걸었다. 평균 다섯 시간 정도 걸리는 아주 길고 힘든 여정이지만 구불구불한 숲길도, 뱀 출몰 지역이라고 적힌 위험한 산길도, 바다가 펼쳐진 해안 길도 다 마음에 들었다. 발에 물집이 잡히고 땀으로 선크림이 지워져 얼굴과 팔이 까맣게 타는데도 아무렇지 않았다.

거대한 태풍이 제주도를 집어삼키는 날에도 나는

비바람을 뚫고 바다를 보러 나갔다. 장우산이 찌그러질 만큼 거센 바람에 몸이 날아갈 것 같아도 그저 바다를 보는 게 좋았다. 물웅덩이에 발을 헛디뎌 신발이 젖었는데도 '에라, 모르겠다!'며 일부러 더 깊이 들어가 폴짝폴짝 뛰어 양말까지 다 젖게 만들기도 했다. 기가 막힌 상황인데도 나는 마치 아이처럼 해사하게 웃고 있었다. 비를 맞고 속옷까지 다 젖어 옷에서 빗물이 뚝뚝 떨어져도 바다를 보고 돌아오면 자연스럽게 마음이 치유되는 기분이 들었다.

7평짜리
나만의 작은 숲

때때로 수면제를 먹어도 잠이 오지 않는 날이 있었다. 그런 날이면 밤을 꼴딱 새우고 한 시간을 걸어 오름에 올라가 일출을 보고 내려왔다. 오름 정상을 한 바퀴 돌면서 고요하게 내 숨소리에 집중하면 저절로 마음이 편안해졌다.

사람이 없는 한적한 오름에 올라가면 멍하니 그냥 숲소리를 들었다. 책을 읽거나 가방을 베개 삼아 벤치에 누워 하늘을 올려다보는 시간이 너무 좋았다. 무성한 나뭇잎들이 바람에 나부껴 사각사각 부딪히는 소리, 날아가는 비행기 엔진 소리, 재잘거리는 새소리를 들으며 잠시 낮잠을 자기도 했다. 바람이 내 머리카락을 흩트려 귓가를 간질이는 촉감이 좋았다.

그럴 때면 나도 모르게 입가에 미소가 번졌고 서울에서는 잊고 살았던 행복을 조금씩 느끼게 되었다.

무엇보다 내 마음을 평온하게 해준 건 지금도 살고 있는 내 방이었다. 당일치기로 혼자 방을 알아보던 날 운명처럼 이 방을 만났다. 아침부터 저녁까지 낯선 제주 시내를 누비며 봤던 수십 개의 방 중에서 단번에 눈에 들어온 방이었다. 비싼 월세와 작은 평수에도 단지 뷰(view) 하나 때문에 망설임 없이 바로 계약을 했다. 내 방 창밖으로는 바다도 보이고, 하늘도 보이고, 비행기도 보였다.

그중에서도 내가 가장 사랑했던 건 해 질 녘 집에 돌아와 내 방에서 보는 노을이었다. 서울에 살 때는 어스름이 다가오면 이상하게 이유 없이 마음이 초조하고 불안했다. 특히 밖에 있을 때는 왠지 빨리 집으로 들어가야 할 것만 같은 생각에 나도 모르게 심장이 빠르게 뛰곤 했었다. 그러다 제주도에 온 후 처음으로 이 시간대를 좋아하게 되었다. 바다에서 노을을 바라보는 것도 좋았지만 내 방에서 창문 너머로

나에게 안녕을 묻는다

노을을 보면서 하루를 마무리하는 시간이 좋았다. 맑은 날에는 하늘이 온통 붉게 물들기도 했고, 또 어떤 날은 화사한 핑크빛이나 보랏빛일 때도 있었다. 노을이 질 때 방 안에 해가 비치면 덩달아 따뜻한 기운까지 같이 들어오는 것 같았다. 그렇게 햇빛을 무서워했던 내가 이곳에 와서 조금씩 달라지고 있었다. 침대에 기대거나 좋아하는 흔들의자에 앉아 해가 수평선으로 넘어갈 때까지 창밖을 바라보고 있으면 아름답다는 말로는 부족할 만큼 경이로움을 느꼈다.

그렇게 지는 해를 바라보면서 오늘도 잘 가라고, 고생 많았다고 나를 토닥이며 하루를 마무리하곤 했다.

제주도엔 왜 왔어요?

　애초에 제주도에 아는 사람이 없었던 나는 어떤 상황에서든 새로운 사람들을 만나야 했는데, 그때마다 꼭 받는 질문이 있었다. 제주도엔 왜 오게 됐냐는 호기심 섞인 물음들. 내가 처음 왔을 때만 해도 제주살이 열풍으로 한 달 혹은 1년을 제주에 머무는 사람이 많을 때라서 어느 무리에 속하든 최소 한두 명은 꼭 육지 사람이 있었다. 제주살이에 대한 로망으로 혼자 여행을 온 20대 여성, 퇴사 후 휴식 겸 재정비로 오게 된 30대 직장인, 아이들을 자연적인 환경에서 키우기 위해 가족 단위로 내려온 4, 50대가 주를 이루었다. 어떤 이유에도 속하지 않는 나는 사람들에게 이런 질문을 받을 때마다 뭐라고 대답해야 할지 썩 난감했었다.

우울증에 걸려서요. 마음이 아파서요.

초면에 이런 얘기로 분위기를 어색하게 만들고 싶지 않았고 처음 보는 사람들의 동정 어린 눈빛과 주목을 받고 싶지도 않았다. 육지 사람들은 크게 벗어나지 않는 범주 안에서 제각각의 답변을 보였는데, 신기하게도 하나같이 눈빛이 초롱초롱했다. 특히 이제 막 제주로 이주한 사람들은 꿈꾸던 생활에 대한 설렘이 그대로 얼굴에 드러나 보였는데 그런 모습이 내심 부럽기도 했다. 나 같은 사람도 분명 어딘가에는 있을 텐데 나처럼 음지에 숨어 있어서 서로를 못 찾는 건가. 해맑은 사람들 사이에서 괜한 말로 분위기를 흐리고 싶지 않아서 나도 '퇴사 후 휴식 겸 재정비로 오게 된 30대 직장인' 타이틀에 무난하게 들어가기로 했다.

서울 사는 게 다 팍팍하고 힘들죠, 뭐. 하하.

이때 안쓰럽게 보이지 않도록 약간의 미소와 함께 머쓱하게 웃어 주는 게 포인트다.

근데 사실 나는 나름 솔직한 편이라 이렇게 상황을 대충 무마시킬 때마다 가슴 한 켠으로는 못내 찜찜함이 자리하고 있었다. 현재 이 섬의 인구 절반이 외지인이라는데 수많은 사람들 중 그래도 나 같은 사람이 어딘가에는 있지 않을까. 마음이 아파서 온 사람들. 휴가가 아니라 휴양이 주목적인 사람들. 여행이 아니라 생존인 사람. 가끔은 내 속이라도 후련하게 거리낌 없이 말하고 싶다.

"저는요. 서울에서 평범하게 살다가 서른 살에 처음 우울증과 불안 장애가 생겼어요. 너무 힘들어서 이대로는 죽을 것 같아서 살려고, 살고 싶어서 제주도에 왔어요."

3부

모든 것에는
저마다의 이유가 있다

걸음이 느린 아이

　나는 어릴 때부터 남들보다 늘 한 발씩 늦게 걷는 아이였다. 단거리 달리기는 곧잘 했지만 심폐 지구력을 요하는 장거리 달리기는 뒤에서 순위를 매기는 게 빨랐다. 선천성 심장병을 갖고 태어나 세 살 때 심방중격 결손증 수술을 받았고, 완치가 됐지만 나는 체력 검사를 할 때마다 일부러 손을 들어 열외를 자청했다. 사춘기 때는 심장 수술 자국이 창피하기도 했지만 반대로 종종 무기처럼 느껴질 때도 있었다. 뭘 하든 수술 전력을 핑계로 포기하곤 했으니까.

　나는 포기가 빠른 아이였다. 나에게 쉬운 일 중 하나가 포기하는 것이어서 조금만 힘에 부친다 싶으면 늘 편하고 익숙한 쪽을 택했다. 쇄골부터 명치까지

　　　　　　　　　나에게 안녕을 묻는다

여전히 짙게 남아있는 수술 자국처럼 내가 피하고 도망쳤던 것들은 지금까지도 내 삶에 낙인으로 찍혀 있는 것 같다.

그 때문이었을까. 언제부턴가 또래 친구들과 미묘하게 격차가 생기기 시작했다. 나는 경험하는 것도, 깨닫는 것도 친구들에 비해 늘 최소 1년씩은 늦었다. 고3 졸업 직전에 급하게 진로를 정했고, 다니던 대학을 그만두고 삼수를 했고, 다시 들어간 학교에서도 적응하지 못하고 또 다른 입시를 준비하며 도합 6년을 허비했다. 그래서 친구들보다 방황하는 시기가 훨씬 길었다. 처음에 고작 1, 2년밖에 나지 않던 격차는 성인이 되자 곱절로 벌어졌다. 졸업하자마자 바로 취업을 한 친구는 내가 대학생일 때 이미 과장을 달았다. 진로를 빨리 결정한 친구는 진즉 사장님이 되어 어느새 번듯한 사업체를 꾸리고 있었다. 대부분 서른 전에 이룬 것들이었다. 그 친구들이 빠른 건지 내가 느린 건지 정확한 기준점을 알 수는 없지만 어쨌든 친구들과 차이가 확연히 벌어진 건 부정할 수 없는 사실이었다.

걸음이 느리다는 게 사회에서는 평범하지 않다는 뜻이기도 했다. 20대 때까지 평범하지 않다는 건 남들에 비해 개성 있고 특별하다는 긍정적인 신호였다. 그래서 어릴 때는 남들과 같은 게 싫어서 너도나도 튀어 보이려고 무던히 애를 썼다. 누구나 특별한 존재가 되고 싶었으니까. '이 세상의 주인공은 나야!' 따위의 당당함으로 무장한 채 살았다. 그러다 20대 후반이 되고 사회 물을 조금씩 먹기 시작하면서 내가 더는 세상의 주인공이 아니라는 걸 여실히 깨닫는 순간들을 자주 마주했다. 주인공은커녕 조연일 때도 있고 단역이 되거나 심지어는 아예 통편집되기도 했다. 그렇게 거부했던 평범함이 이제는 너무 소중하고 간절히 원하는 삶의 형태가 되어 버렸다.

그래서 30대인 지금은 평범하지 않다는 얘기가 썩 달갑지만은 않다. 나도 상대방이 더 이상 칭찬으로 하는 말이 아니라는 것쯤은 충분히 알 만한 나이가 됐다. 모두가 원하는 평범함의 범주에 내가 더는 속하지 않는다는 걸 알았을 때 느끼는 고독은 조금 비참하기도, 씁쓸하기도 하다.

나에게 안녕을 묻는다

뭐든 빠른 것만 추구하는 시대에 나처럼 걸음이 느린 사람은 결국 뒤처질 수밖에 없는 건가. 사회적 평범함의 기준에 당연히 정신 질환은 없겠지. 그렇다면 나는 혹 우울증이라는 마음의 병 때문에 배제되고 도태되었을까. 그래서 늘 군중 속에서도 홀로 서 있는 기분이었나. 내가 만약 어릴 때부터 참고 버티는 힘을 길렀더라면 방황하는 시간을 조금은 줄일 수 있었을까. 내가 만약 타인이 아닌 나 자신에게 더 중심을 두었더라면 지금보다는 자신 있게 살았을까. 내가 만약 우울증에 걸리지 않았더라면 나도 친구들처럼 평범하게 회사를 다니고 결혼을 하고 한 아이의 엄마가 되어 있었을까.

이토록 후회로 똘똘 뭉친 삶은 답이 없는 질문만 가득 안은 채 '내가 만약'이라는 이름의 의미 없는 가상 게임만 되풀이할 뿐이다. 그런데 그런 삶이 곧 정답인 걸까. 애초에 이 게임에 정답이 있기는 했던 걸까. 그게 정말 내가 원했던 삶이었냐고 되묻는다면 나도 잘 모르겠다.

남자가 되고 싶었다

　우울증도 유전이라는 말을 들은 적이 있다. 의학적으로 증명된 건 아닌 것 같지만 나는 그 말에 어느 정도는 동의한다.

　요즘 부부간 불화나 자녀 교육을 다룬 TV 프로그램들이 부쩍 많아졌다. 문제가 있는 가정들을 보면 공교롭게도 거의 대부분의 원인이 당사자의 어릴 적 가정 환경에서 기인하는 경우가 많았다. 처음에는 그런 현상들이 신기해서 즐겨 보다가 언젠가부터 어쩐지 불편하고 기분 나빠서 더는 보지 않게 되었다. 내 경우도 그 사람들과 크게 다르지 않다는 사실을 본능적으로 느꼈기 때문이었다. 그 불편함은 분명 동질감에서 오는 것이었다.

　　　　　　　나에게 안녕을 묻는다

나는 어릴 때부터 쭉 화목하지 않은 가정 환경을 목도해 왔다. 물론 행복하고 즐거웠던 순간들도 많았지만 그렇지 않은 기억이 훨씬 자극적이어서 그런지 뇌에 더 오래 각인되어 있었다. 엄마와 아빠는 자주 싸웠고 나는 늘 공포 속에 살았다. 그러면서 아빠에 대한 원망과 증오가, 엄마에 대한 연민과 짜증이 나날이 커졌다. 아빠는 너무 강했고 엄마는 너무 약했으며 싸움을 말리는 할머니는 너무 안쓰러웠다.

남동생과 내가 기억하는 서로의 유년 시절은 많이 달랐다. 가부장적인 경상도 집안에서 남동생은 아들, 손자라는 이유로 어른들의 예쁨을 독차지했다. 장난기도 심했고 항상 말썽을 피웠지만 어른들은 남자는 싸우면서 크는 거라며 대수롭지 않게 넘겼다. 실제로는 정반대였는데도 부모님이 기억하는 학창 시절 일탈의 크기도 내 것이 훨씬 컸다.

반면 나는 어떤 상황이든 '어디, 여자가!'라는 말을 소위 귀에 못이 박히도록 듣고 자랐다. 설마, 싶겠지만 내가 어릴 때만 해도 꽤장히 흔한 풍경이었다.

우리 집에서는 장녀보다 장손 타이틀이 주는 힘이 엄청 강했다. 동생은 예쁨을 받아서 성격이 좋아진 건지, 성격까지 좋아서 예쁨을 받은 건지 아빠에게 혼나도 항상 웃음으로 상황이 마무리되곤 했다. 닭이 먼저냐 달걀이 먼저냐의 싸움이었지만 적어도 내가 기억하는 건 그랬다. 그와 반대로 미움을 받아서 주눅이 든 건지, 주눅이 들어서 더 미움을 받은 건지 모르겠지만 나는 늘 누구를 닮아 성격이 저러냐는 볼멘소리로 상황이 종결되기 일쑤였다.

그래서 나는 어릴 때 남자로 태어났어야 했다는 생각을 많이 했었다. 가족들을 보면서 은연중에 남자는 강하고 여자는 약하다는 프레임이 자연스럽게 씌워졌다. 물론 공기 놀이도, 고무줄 놀이도 좋아했지만 피구보다는 농구를 더 자주 했고 목소리부터 걸음걸이, 말투까지 남자 흉내를 내며 어떻게든 남자처럼 보이기 위해 노력했다. 남자 같아 보이면 나도 동생처럼 부모님에게 예쁨 받고 사랑 받을 수 있지 않을까, 하는 생각에서였다.

나에게 안녕을 묻는다

애증의 존재, 가족

누구에게나 선천적으로 타고난 기질이라는 게 있다고 했다. 그런 면에서 나는 실제로 엄마를 많이 닮았다. 외모도, 체형도, 성격도. 어릴 때는 그게 너무 싫었다. 내가 엄마를 닮아서 아빠한테 혼나는 건가 싶어 엄마도 아빠 못지않게 많이 원망했었다.

사람은 누군가를 미워할수록 모순되게도 그 미워하는 대상을 닮아간다는 말을 들은 적이 있다. 어릴 땐 엄마를 보며 '절대 엄마처럼 살지 말아야지.'라고 생각했고, 아빠를 보면서는 '절대 저런 남자랑 만나지 말아야지.'라고 다짐했었다. 하지만 이런 절대적인 의지들이 오히려 나를 더욱 반대쪽으로 끌어당기는 것 같았다. 우유부단하고 나약하고 거절을 잘 못하는, 내가 유독 싫어하는 내 모습에서는 항상 엄마가 보였다. 연애를 할 때도 남자의 모든 기준이 아빠가 되다 보니 어떤 상황이든 '이 정도면 괜찮은 거 아닌가?' 싶은 생각에 판단력이 흐려질 때도 많았다.

그래서 나는 늘 상처를 받는 것에 익숙했고 어릴 때부터 결혼이라는 것에 큰 확신도 없었던 것 같다. 대부분의 친구들이 결혼을 해 아이를 낳고 살고 있지만 나는 중간중간 남자친구를 사귀며 잠깐 헤까닥할 때 말고는 결혼에 대한 생각도, 결혼을 하고 싶은 마음도 딱히 없어졌다. 가끔은 나도 남들처럼 화목한 가정을 이루고 싶다는 보상 심리가 불쑥 튀어나올 때도 있었지만 자신이 없어서 스스로 단념해 왔다. 어쩌면 나는 우울증을 앓기 아주 훨씬 전부터 남들과 다른 의미로 내가 조금은 특별하다는 걸, 평범하지 않다는 걸 이미 느끼고 있었던 것 같다. 성장기의 경험과 기억이 곧 삶의 좌표가 되어 결국 지금의 '나'라는 사람을 구성하는 데 큰 역할을 했을 거라는 것도. 하지만 나는 사실 누구보다 평범한 사람이 되고 싶고, 평범한 삶을 살고 싶어 한다는 것도.

나에게 안녕을 묻는다

나이가 들고 나도 조금은 철이라는 게 생기면서 전에 없던 가족에 대한 연민의 마음이 조금씩 들기 시작했다. 특히 부모님의 늙어 가는 모습을 보면 괜히 짠하고 뭉클하기도 하다. 그러면서 가족이라는 건 지긋지긋하지만 결코 미워할 수만은 없는 애증의 존재라는 생각이 들었다. 무엇보다 누군가를 미워하는 것도 엄청난 에너지가 소모된다는 걸 이제는 알기 때문에 가뜩이나 미약한 에너지를 더는 그런 쓸데없는 곳에 쓸 여력이 없기도 했다. 애증이라고 하니까 뭔가 어감이 안 좋은 것 같지만 나는 그게 꼭 나쁜 것만은 아니라고 생각한다. 늘 함께 붙어 있으면서 행복한 가족이 있는가 하면 우리 가족처럼 멀리 떨어져 살면서 가끔씩 만나 서로를 애틋해 하는 관계가 어울리는 가족도 있기 마련이다.

저마다 가족의 형태는 다양하니까.

아픈 손가락

　내가 처음 우울증에 걸렸다고 했을 때 가족들과 친구들은 잘 믿지 못했다. 아빠는 이 마음의 병이 다 의지가 약해서 생기는 정신병 정도로 쉽게 생각하는 것 같았다. 5년이 지난 지금도 아빠는 모든 건 네가 마음먹기에 달린 거라고, 생각을 긍정적으로 바꾸면 된다고 마치 이 증상을 어디 내놓기 창피한 것인냥 말한다. 동생 역시 우울증 약은 하루아침에 금방 끊을 수 있는 거 아니냐며 줄곧 우습게 얘기했었다.

　얼마 전 고등학교 친구들 다섯 명과 몇 년 만에 영상 통화를 했다. 내심 반가웠지만 화면 속 나는 내가 봐도 텐션이 많이 떨어져 보였다. 얼굴 좀 보여 달라는 친구들의 성화에도 나는 다른 말로 둘러대면서 끝내 보여주지 않았다. 눈 위쪽만 화면에 나오게 핸드폰을 얼굴 가까이 당겨 한 시간 동안 통화를 했다. 그러다 호주에 사는 친구가 별안간 이런 말을 했다.

"범영아(학창시절 내 별명이다), 우리가 알고 있는 고등학교 때 네 모습이 진짜 너라는 거 잊지 마. 빨리 돌아와라!"

친구들이 말하는 진짜 내 모습이란 어떤 것일까. 통화가 끝나고 한참을 곱씹어 봤다. 오래전에 했던 생각이, 믿고 있던 가치관이, 주장하던 신념이 시간이 지나면서 자연스레 변하는 걸 우리는 자주 경험한다. 그렇다면 성격도 당연히 바뀔 수 있지 않을까. 물론 내 성격이 변하게 된 데 우울증이 큰 몫을 차지하기는 했다. 성격의 터닝 포인트가 우울증이라니 좀 슬프긴 한데 꼭 안 좋은 쪽으로만 생각하고 싶지는 않았다. 그때는 내 안의 많은 자아들 중 하나를 꺼내 활발하게 사용한 거고, 지금은 다른 자아가 큰 부분을 차지하고 있을 뿐이라고. 성격과 성향이 달라졌지만 그때도, 지금도 '나'라는 점에는 변함이 없으니까.

"언제부턴가 너는 자꾸 마음이 쓰이는 친구야."

한 친구가 내게 이런 말을 한 적이 있다. 학창 시절 나는 친구들의 웃음을 전담했었다. 내 재롱에 친구들이 꺄르르 웃는 모습을 보는 게 좋았다. 남들을 웃기는 재주만큼 나도 웃음이 참 헤픈 아이였다. 그래서 늘 밝고 유쾌했던 내 모습을 기억하는 친구들은 정작 당사자인 나보다 더 지금의 나를 낯설어 했다. 사실 나라는 사람에게 우울증이라는 단어 하나가 덧붙여진 것에 불과했으나 결국 이 단어는 생각보다 사람들에게 겁을 주는 존재가 되어 평범하지 않은, 조금은 이상한 사람으로 느껴지게 만들었다. 그래서 나는 그 후 부모님에게도, 친구들에게도 아픈 손가락이 되었다. 자꾸만 마음이 쓰이는 사람으로.

문득문득 내가 이러다 평생 약을 먹어야 되는 건 아닌지 왈칵 무서울 때도 있다. 우울증이 있는 게 왜 마음이 쓰이는지, 왜 아픈 손가락이 되어야 하는지 나는 그때나 지금이나 여전히 잘 모르겠다. 나도 초반에는 달라진 내 모습을 인정하는 게 어려웠는데 사실 '원래 성격'이라는 게 애초에 있기는 했던 걸까 싶기도 하다. 물론 지금도 완전히 받아들였다고 말할 수는 없지만 그냥 나는 지금 이런 내 성격이, 내 성향이, 내 삶이 썩 행복하다. 현대인이라면 누구나 약간의 우울감을 갖고 산다지만 우울감과 우울증은 또 다른 문제니까 이제는 충분히 그렇게 느낄 수도 있겠다고, 그러려니 하기로 했다.

자존감이 낮은 사람일수록 자존감이라는 단어에 매몰된다고 하더니만 나도 남들처럼 평생 우울증을 모르고 살다가 이제 이 단어 없이는 나를 설명할 수 없게 삶이 완전히 바뀌어 버렸다. 참나. 우울증과 공생하는 삶이라니. 그래도 바퀴벌레나 곰팡이와 공생하는 삶보다는 낫지 않겠냐고, 이렇게 오늘도 나는 스스로를 세뇌시키며 마음을 다잡는다. 약간의 쓴웃음과 함께.

불면의 나날들

중학교 때까지 우리 가족은 주말만 되면 차를 타고 산으로 바다로 여행을 다녔다. 어릴 때는 아침에 잠을 깨우는 아빠의 목소리가 듣기 싫었다. 다짜고짜 이불을 휙 걷어 버리고 창문을 다 열어젖혀서 일어나지 않고는 배길 수 없었다. 나는 늘 '5분만!'을 외치다 결국 궁시렁대며 이불을 박차고 일어났었다.

우리는 매주 토요일 새벽에 출발해 일요일 밤에 집에 돌아오곤 했는데 동생과 나는 언제나 차 뒷좌석에 나란히 앉거나 서로 반대로 누워서 잠을 잤다. 이틀 동안 실컷 놀았으니 피곤해서 곯아떨어지는 게 당연한 수순이었다. 집 앞에서 부모님이 다 왔다고 우리를 깨울 때마다 단잠에서 깨는 게 너무 싫었다.

나에게 안녕을 묻는다

옛날 말로 나는 누가 업어 가도 모를 정도로 머리만 대면 금방 잠에 드는 아이였다. 그래서 불면증은 어떻게 보면 우울증보다 더 나와 상관 없는 거라고 생각했었다.

그랬던 내가 어느 날부터 잠을 자지 못했다. 대학생이 되고 혼자 살기 시작하면서 어릴 때는 몰랐던 예민한 성향이 점점 크게 자리잡았다. 그래서 피곤하거나 스트레스가 많은 날에는 종종 잠을 설칠 때가 있긴 했지만 아예 하루를 통으로 못 잔 적은 한 번도 없었다. 정말 갑자기 일어난 일이었다. 처음에는 그저 일시적인 현상인 줄만 알았는데 이게 하루 이틀 반복되니 갑자기 잠에 대한 엄청난 공포심이 생기기 시작했다.

정말 이러다 잠을 못 자게 되면 어쩌지.

피곤하면 자고, 졸리면 자고, 자야 할 시간이 되면 자는 게 나에게도 지극히 자연스러운 일상이었다. 그렇게 당연했던 것들이 이제는 당연하지 않은 일이 되었고, 전혀 문제되지 않던 것들이 지금은 내 삶 전체를 바꿔 놓았다. 한 번 생기기 시작한 공포감은 걷잡을 수 없이 커져서 잠들기도 전에 오늘도 못 자면 어떡하지, 라는 두려움이 엄습해 왔다. 그렇게 우울증과 함께 불면증이 시작된 것이었다.

초반에는 증상이 심해 센 약을 처방 받았다. 수시로 들이닥치는 우울감과 불안함을 약으로 억제하는 식이라고 했다. 한동안은 아침에도 먹고, 점심에도 먹고, 자기 전에도 먹었다. 깨어 있을 때는 주로 불안 증세를 잠재우는 약, 자기 전에는 수면을 유도하는 약을 먹었다.

처음 병원에 다녀온 날 밤, 잔뜩 긴장한 채 약을 먹었는데 삼키자마자 30분도 안 돼서 머리가 어질어질해 다리가 휘청거렸다. 와, 정말 듣던 대로 약이 독하구나. 몸에 힘이 쫙 빠지면서 내가 잠에 드는 것도 모르고 그대로 기절해 버렸다. 무서웠지만 그래도 잠을 잘 수 있다는 게 좋았다. 1년 넘게 잠을 못 자다가 모처럼 잠을 자게 되니 얼떨떨하면서도 신기했다.

나에게 안녕을 묻는다

드디어 나도 잘 수 있어!

 다행이었다. 뭐든 처음이 어렵지 익숙해지는 건 금
방이라고, 처음 약을 먹었을 때 느꼈던 놀라움은 어
느덧 약을 먹으면 잠을 잘 수 있다는 안정감으로 변
했다. 기절하며 잠에 드는 느낌이 점점 좋아졌다.

 물론 약을 먹은 직후에 했던 일이 기억나지 않아서
아찔할 때도 있었다. 아침에 일어나 배달 음식이 도
착했다는 문자를 확인하고 현관문을 열었을 때의 기
분은 황당과 당황이라는 말을 빼고는 다른 말로 설
명할 수가 없었다. 몽유병처럼 몽롱한 상태로 약에
취해 배달 음식을 시키고 누군가와 전화를 하고 편
의점에 가서 뭔가를 사 오곤 했다. 놀랄 만큼 하나도
기억나지 않았다. 그때 처음 약의 무서움을 알았다.

수면제는 든든한 내 친구

  다행히 제주도에 내려온 후로 눈에 띄게 불안 증
세가 가라앉아 아침과 점심에 먹는 약을 더는 먹지
않게 되었다. 그럼에도 자기 전에는 꼭 약을 먹어야
했는데 왠지 먹지 않으면 잠을 잘 수 없을 것만 같은
불안함 때문이었다. 나도 모르는 사이에 나는 이미
약에 의존하고 있었다. 그러다 얼마 전 어느 금요일
저녁, 퇴근하자마자 너무 피곤해서 조금만 누워 있
다가 일어나야지, 하는 생각으로 옷도 갈아입지 않
고 침대에 모로 누웠다가 그 길로 바로 잠에 든 적이
있었다. 눈을 뜨니 토요일 아침이어서 대박을 연신
외쳤던 기억이 난다.

  대박! 내가 수면제 없이도 잘 수 있다니!

그날 이후 나는 실낱 같지만 작은 희망을 보았다. 언젠가 약을 끊을 수 있을지 모른다는. 지난 5년간 나는 아침에 일어날 때 한 번도 개운한 적이 없었다. 지금도 여전히 몽롱한 느낌과 찌뿌듯한 몸으로 잠에서 깬다. 나이를 먹으며 몸의 기능이 하나둘씩 저하되고, 직장인이 되면서 피로가 누적되어 생기는 자연스러운 변화이기도 했지만 그것과는 조금 결이 다른 불편함이 확실히 있었다. 개운한 기분이 어떤 느낌이었는지도 이제는 전혀 상상이 안 된다.

그래도 전처럼은 아니더라도 나도 언젠가는 약에 의존하지 않고도, 약 없이는 잠을 못 잘 것 같은 불안한 마음 없이도 편안한 밤을 맞을 수 있는 날이 오지 않을까. 엄마는 앞으로 주말만이라도 약 없이 자는 시도를 해보라고 했고 나도 약을 안 먹고 자는 날을 조금씩 늘려 볼까 생각도 했다. 그래도 여전히 불안함은 계속 남아 있었다. 물론 주말이라 잠을 좀 못자도 되기야 하지만 이미 의존도가 높아져서 약을 먹어야 조금이라도 더 잘 수 있다는 생각 때문에 섣불리 시도하기가 쉽지 않았다.

누가 그랬다. 현대인들은 주말에 충분히 휴식을 취한다고 해도 에너지가 플러스가 되는 게 아니라 마이너스에서 겨우 원점으로 돌아오는 것뿐이라고. 그래서 나도 주말에 밀린 잠을 보충하고 실컷 쉬어야 다음 한 주를 버틸 수 있었다. 가뜩이나 바닥까지 떨어진 기력을 0점으로 회복시키는 방법은 지금 나에게는 몸보신할 음식도, 술 마시며 회포를 푸는 것도, 사람을 만나는 것도 아닌, 집에서 아무것도 하지 않고 온전히 혼자 쉬는 것이었다. 결국 약을 먹어야 규칙적인 수면 습관을 만들 수 있다는 생각으로 지금은 주말에도 최대한 정해진 시간에 수면제를 먹고 침대에 눕는다.

물론 지금도 이 약을 언제까지 먹어야 될까, 싶은 생각을 종종 하기도 한다. 하지만 약은 절대 내 마음대로 줄이거나 끊으면 안된다는 걸 나는 경험으로 너무 잘 알고 있었다. 그래서 그냥 생각을 조금만 바꿔 보기로 했다. 지난 5년간 나를 가장 힘들게 했던 불면증이 그래도 수면제 덕분에 사라진 건 맞으니까. 약을 먹은 후로는 잠을 못 자서 받는 고통이 현저히 줄어들었으니까. 약을 먹고 있으면서 약을 언제 끊을지 걱정을 하는 것보다 이제는 그냥 친구라고 생각해 보기로 했다. 이미 심리적으로 많이 의존하게 됐지만 언젠가는 헤어져야 하는 관계라고. 나이가 들면서 옛 친구들이 하나둘 떠나는 것처럼 지극히 자연스러운 거라고. 마음이 심하게 아픈 때에는 일시적으로 약을 늘리기도 했다가 괜찮아지면 다시 줄이기도 하면서 그렇게 조금씩, 조금씩 내 몸에 남아 있는 이 친구의 흔적을 떠나보내는 연습을 해 보겠다고. 지금은 나를 잠들게 할 수 있는 유일한 해결책이라 생각하니 실제로 수면제가 든든하게 느껴진 적도 많았다. 오히려 수십 번의 시행착오를 거쳐 지금 먹고 있는 약이 나에게 잘 맞는다는 것도 다행이고, 또 고마운 거라고.

그래도 언젠가는 이 친구와 영영 이별하는 날이 꼭 오면 좋겠다. 그땐 정말 손 흔들며 쿨하게 보내 줄 수 있을 것 같다.

힘을 내는 게 너무 힘들어

"힘내!"

마음이 많이 아팠을 때 힘들었던 것 중 하나는 스스로 힘을 내는 일이었다. 힘내라는 격려와 응원을 우리는 생각보다 너무 쉽게 사용하는 것 같다. 사실 나도 예전에는 주변 사람들에게 힘내라는 말을 아무렇지 않게 많이 했었다. 그게 가장 흔하고 대중적인 말이기 때문이었다. 힘내라는 말 한 마디, 이보다 더 가성비 좋은 단어가 어디 있을까.

그런데 반대로 생각해 보면 옆에 힘들어하는 사람에게 힘은 주고 싶은데 달리 어울리는 말이 떠오르지 않는 것도 사실이라서 그저 힘내라는 말밖에는 마땅히 할 방법이 없는 것이다. 하지만 정작 그 힘을 내라는 말이 사실은 하나도 도움되지 않는다고 한다면 너무 서운하려나. 힘이 안 나는데 어떻게 힘을 낼수 있는지 스스로도 방법을 몰라 괴로워하는 사람에게 그 말은 때로 더 좌절감을 느끼게 한다. 고마운 것과는 별개로 말이다.

그럼 대체 뭐 어쩌란 말이냐, 싶기도 할 텐데 어떨 땐 다른 불필요한 말보다 그저 옆에서 가만히 들어주는 것만으로 위로가 되기도 한다는 걸 말하고 싶었다. 내 경험상 우울증 단계까지 가는 사람들은 대체로 누구에게도 자신의 속마음을 말하지 않는 편이었다. 말해 봤자 뭐가 달라질까, 상대방도 지금 힘들 텐데 나 때문에 더 힘들어하면 어쩌지, 괜히 이 사람의 바쁜 시간을 내가 방해하는 건 아닐까, 나를 이상하게 보면 어떡하나, 하는 오만 가지 생각으로 결국 털어놓고 싶은 굴뚝 같은 마음을 스스로 접어버리고 만다. 늘 문턱에서 좌절하는 것이다. 그러다 보면 그게 속 안에서 쌓이고 쌓여 곪다가 결국에는 터지게된다. 5년 전, 내가 그랬다.

"나 너무 힘들어."

"나 우울증 걸릴 것 같애."

"아, 죽고 싶다."

   습관적으로 이런 말을 하는 사람들이 어디든 한 명씩은 있다. 아이러니하게도 이렇게 말하는 사람들 대부분은 실제 우울증까지는 가지 않는 경우가 많은 것 같다. 왜 그럴까. 나도 지금에서야 이렇게 사람들에게 담담하게 커밍아웃을 하지만 그전까지는 최대한 꽁꽁 숨기고 살았다. 나조차도 온전히 받아들이지 못하기도 했고 우울증이라는 단어 하나로 나를 규정하기가 싫었다. 이게 정말 사실이 될까 봐 무서워서 함부로 생각하지도, 입 밖에 꺼내지도 못했다. '설마, 그럴 리가.'라는 생각이 지배적이었다. 그래서 오히려 힘들다는 얘기를 겉으로 '잘' 말할 수 있는 사람이 정신적으로 더 건강한 사람인 것 같다. 징징 대거나 투덜거리는 것처럼 보일지라도 그들은 수시로 힘듦을 토해 내며 속에 쌓인 것들을 배출하니까.

   우리가 자주 접하는 연예인들의 자살 뉴스만 봐도

그렇다. 기사에 항상 들어가는 내용처럼 고인은 '가까운 지인들도 전혀 눈치 채지 못했'으며, '직전까지도 스케줄을 무리 없이 소화했'고, '힘든 내색 한 번 하지 않았'고, '밝게 통화하고 다음 약속까지 잡았던 사람'이었기에 더욱 그들의 죽음이 갑작스럽고 황망하게 느껴진다. 하지만 나는 이제 안다. 그 죽음이, 그 아픔이 결코 갑작스러운 게 아니라는 것을. 나도 그랬다. 혼자 해소하는 방법을 찾지 못했고 더군다나 아무에게도 힘들다고 말하지 않아서 결국 마음의 병이 생겼다.

"죽을 마음으로 살면 되지."
"힘들면 그냥 관두면 될 걸 죽긴 왜 죽어."
"남은 가족들을 위해서라도 그래서는 안 됐어."
"무책임하고 비겁한 결정이다."

사람들은 이런 말들을 참 쉽게 뱉는다. 스스로 생을 마감한 고인을 끝내 수면 위로 올려 또 한 번 잔인하게 비수를 꽂는다. 정작 누구보다 힘을 내고 싶었던 사람은 자기 자신이 아니었을까. 죽어야 끝날

것 같은 고통을 알까. 직접 겪어 보지 않으면 아마 평생 알 수 없을 것이다. 그러니 함부로 판단하고 평가해서는 안 되겠지. 나도 마음이 아프고 나서야 비로소 알게 되었으니까. 그 후로는 주변 사람들에게 힘내라는 말을 되도록 하지 않기 위해 의식적으로 노력한다. 그저 묵묵히 들어주기만 할 뿐이다.

이럴 때만큼은 조금은 이기적이어도 된다고 말하고 싶다. 물론 나도 여전히 그게 안 되기는 하지만 그래도 어쩔 수 없다. 한 명이라도 털어놓을 수 있는 사람이 옆에 있어야 한다. 그렇게 하지 않으면 또다시 곪아서 터져 버리기 때문에 쌓이기 전에 조금씩 배출을 해 줘야 한다.

반대로, 섣부른 위로를 하지 않아도 좋다. 그냥 조금만 시간을 내어 들어주기만 하면 된다. 타인에게 자신의 시간을 내어 준다는 게 얼마나 소중하고 고귀한 마음인지 너무 잘 알고 있다. 그러니 한 명이면 충분하다. 그 한 명이 당신이 되어 준다면 더없이 고맙고 힘이 될 것 같다.

우울증이 뭐 어때서?

우울증을 앓고 제주도에 내려오기 전, 나는 인스타그램에 그동안의 힘들었던 근황을 가감 없이 솔직하게 털어놓았다. 이후 한동안 많은 친구들의 연락을 받았다. 그동안 몰라줘서 미안하다는 몇몇 친구들의 진심 어린 위로는 태연한 척했던 나를 울컥하게했다. 애써 괜찮은 척했던 것들이, 나조차도 괜찮은 거라 믿었던 것들이 실은 하나도 괜찮지가 않았다. 그 미세한 불편함들이 쌓이고 쌓여 결국 눈덩이처럼 걷잡을 수 없이 커져 버린 것이었다.

이 계기로 주변 사람들은 수시로 나에게 고민을 털어놓았다. 예전에도, 지금도 나는 어디에서든 늘 화자가 아닌 청자의 포지션이었다. 이야기를 듣는 걸

워낙 좋아하기도 했지만 나라는 필터를 통해 상대방의 고민이 한층 감화되는 걸 보는 게 뿌듯했다. 정작 내 얘기는 하지 않고 남의 얘기만 너무 들어주다 보니 이렇게 됐나 싶기도 하지만. 그래도 내가 실제로 겪고 있기 때문에 우울증에 대해 진솔한 조언을 해 줄 수 있었고 심지어 한동안은 친구들에게 행복 전도사가 되기도 했다. 그동안 내가 외면하고 무시했던 것들이 얼마나 소중한 것이었는지 알려 주고 싶었다. 적어도 내가 좋아하는 사람들은 나처럼 아픈 사람이 없었으면 했다.

"우울증 있는 사람처럼 안 보여요!"

똥인지 된장인지 먹어 봐야 알고 뭐든 경험해 봐야 안다고, 내가 겪어 보니 알겠다. 사람들이 우울증에 대해 얼마나 많은 편견을 갖고 있는지를. 그간 내가 가장 많이 들었던 말은 우울증 있는 사람처럼 안 보인다는 애매한 칭찬이었다. 도대체 우울증 있는 사람은 어떤 사람인 건데. 굽은 등, 안으로 말린 어깨, 축 늘어진 몸, 무표정한 얼굴, 힘 없는 걸음걸이.

사람들이 생각하는 우울증 환자의 전형적인 외형은 혹시 이런 게 아닐까. 그것도 아니면 매일 죽음을 생각하고, 히키코모리처럼 사회와 단절된 채 지내고, 왠지 음침한 분위기를 풍기고, 다크서클은 턱 밑까지 내려와 있는 데다가 심지어 얼굴은 잿빛이야. 뭐 이런 걸 상상한 걸까. 하긴 나도 경험하기 전까지는 사람들과 비슷한 생각을 했던 것 같다. 우울증 환자가 나 우울증 환자요, 하고 이마에 써 붙이고 다니는 건 아니니까. 말하지 않으면 아무도 모르는 거니까.

사실 우울증은 그렇게 대단한 증상이 아닌데. 현대인들 누구나 약간의 우울감은 갖고 산다고 했다. 다만 그 정도와 지속의 차이가 다를 뿐. 그래서 더 보란 듯이 보여 주고 싶은 마음도 들었다. 우울증이 있어도 잘 지낼 수 있다고. 우울증이 뭐 어떻다고. 우울증이라도 맛있는 걸 먹고, 넷플릭스도 보고, 사회생활도 하고, 덕질도 한다. 그러니 더는 이상한 사람으로 취급하거나 안쓰러운 눈빛으로 보지 않았으면 좋겠다. 우울증 환자는 불쌍한 사람도, 동정의 대상도 아니니까.

요즘 개나 소나 우울증이라며 비아냥대는 사람들도 부쩍 많아졌는데 아니나 다를까 애석하게도 그 말은 참말이었다. 실제로 너도 있고 나도 있고 개나 소나 우울증이 있는 게 맞았다. 2020년 기준 우리나라는 우울증 유병률 36.8%로, OECD 국가 중 자살률과 함께 단연 1위를 기록했다. 열 명 중 네 명인 셈이다. 3년 전 통계라는 걸 감안하면 지금은 두 명 중 한 명이라고 해도 충분히 설득력 있는 추론이다. 더 안타까운 건 전 연령대 중에서 20대와 30대의 우울증 증가율이 가장 높다는 사실이었다. (출처: 대한신경과학회, 국민건강보험공단, 건강보험심사평가원) 바야흐로 우울증 환자 100만 명 시대다. 혐오 문화와 피로 사회에서 어쩌면 이건 당연한 결과인지도 모른다.

　　우울증, 그거 별거 아니다. 그러니 겁먹지 마라. 쫄지도 마라. 우울증이 뭐 어때서?

언젠가 설명이 필요한 밤

이유 없이 불쑥 외로움이 찾아올 때가 있다. 모든 것에는 저마다의 이유가 있다고 생각하지만 이러한 외로움은 그간 내가 알고 있던 것과는 사뭇 다르다. 우울감과 혼재된 묘한 형태라고 해야 할까. 뭐라고 콕 집어 설명할 수 없는 꽤 복합적인 감정들. 잡히지 않는 구름처럼 공기 중에 둥둥 떠다니는 모호한 이 감정 덩어리는 예고 없이 왔다가 이내 묘연해진다.

사실 지금껏 내가 생각했던 외로움은 순전히 원색적이고 지극히 일차원적인 것이었다. 이성이 곁에 없어서 느끼는 섹슈얼한 외로움. 눈에 보이지도 않고 만질 수도 없는 이 감정을 나는 이리도 알량한 마음속에 가둬 두고 있었다니.

나는 어릴 때부터 외로움을 잘 타지 않는 편이었던 것 같다. 물론 '남들에 비해', '상대적으로' 느끼는 나만의 생각일지도 모른다. 근데 또 그것만은 아닌 게 겉으로 보기에 나는 예나 지금이나 외로움을 전혀 느끼지 않고 혼자서도 잘 지내는 사람으로 주위에 자연스럽게 포지셔닝이 되어 있었다. 의도했던 건 아니었지만.

왜 그런고 하니 나는 외로움이 되게 보잘것없고 시시한 감정이라서 이걸 다른 사람에게 표현하는 게 상당히 저급하다고 생각했었다. 그래서 외로워도 표현하지 않고 괜찮은 척 내색하지 않은 채 살아왔다. 참 무서운 게 이렇게 꾹꾹 눌러 둔 마음에 결국 나 스스로도 설득당하고 세뇌되어 버렸다. 그래서 사실 나는 지금도 어떤 게 외로운 감정인지 명확히 인지하지 못한다.

고백하건대 솔직히 나는 외로움을 몹시, 매우, 정말, 진짜 많이 타는 사람이었다. 특히 제주도에 내려온 후 오롯이 나에게 집중하는 시간이 많아지면서

나에게 안녕을 묻는다

이제야 내가 어떤 사람인지 조금씩 알아가고 있다. 제주도는 유독 밤이 참 길다. 대한민국 어디에 있든 모두가 같은 일출과 일몰 시간을 맞지만 그럼에도 제주도는 특히 더 밤이 길고, 또 깊다. 그래서 제주도의 수많은 밤을 홀로 보내며 내가 외로움을 많이 타는 사람이라는 걸 깨달았다. 지금까지 제주도에 온 걸 후회한 적은 한 번도 없었는데 이렇게 갑자기 엄습하는 외로움만큼은 도무지 이겨 낼 방도가 없다. 그저 혼자 묵묵히 온 몸으로 외로움을 맞는 일밖엔.

시끌벅적하고 숨 막히는 서울을 벗어나 한적하고 자유로운 제주도가 나는 여전히 너무 좋다. 다른 어떤 곳보다 나에게 너무 잘 맞는 곳이지만 아주 가끔씩은 나도 사람인지라 사람이 그리워질 때가 있다. 그래서 혼자가 너무 좋은데 혼자가 지독히 싫어지는 모순을 종종 경험한다. 어쩔 수 없는 제주 라이프의 숙명이겠지.

내 힘으로 어떻게 할 수가 없는 이런 외로움이 불현듯 밀려오면 나는 자연스럽게 창밖을 보게 된다.

아주 캄캄한 밤의 제주를. 원룸치고 제법 고층이지
만 내 눈높이에서 창밖을 보면 그냥 시커먼 하늘밖
에 안 보인다. 딱히 어떤 걸 떠올리는 것도, 뭔가를
결심하는 것도 아니다. 그냥, 정말 그냥 멍하니 아무
생각 없이 창밖의 밤을 응시할 뿐이다. 그러다 보면
저절로 마음이 옅은 파도처럼 잔잔해진다.

언젠가 지금보다 나를 더 사랑해 주고 보듬어 줄
수 있는 너그러운 마음을 내가 갖게 된다면 지금 만
나는 이 몽글몽글한 감정을 명확히 설명할 수 있는
날이 올지도 모르겠다.

나에게 안녕을 묻는다

4부

여전히
제주도에 살고 있습니다

너 아직도 거기 살아?

제주도에 온 지 어느덧 햇수로 6년. 초반 1, 2년을 제외하고 나는 서울에서와 크게 다르지 않은 삶을 살고 있다. 더 이상 바다를 보러 가지도, 오름을 찾아가지도, 올레길을 걷지도 않는다. 사는 곳도, 생활 반경도 바뀌니 인간관계도 달라졌다. 어른들은 지금 내 나이가 원래 그런 때라고들 하지만 그래도 나는 많은 것들이 변했다. 지금까지 살아온 내 인생 전체를 통틀어 제주도 이전과 이후로 나눌 수 있다고 말할 만큼 제주도는 나에게 엄청난 변화를 가져왔다.

가끔씩 친구들과 연락을 하면 친구들은 아직도 제주도에 사냐고 묻는다. 육지로 다시 와야 되는 거 아니냐며 마치 내가 잠깐의 여행이나 휴식을 하고

나에게 안녕을 묻는다

있는 것처럼 말한다. 그때마다 나는 '내가 제주도에 살지 어디에 살겠어.', '사람 사는 데가 똑같지.' 하고 퉁명스레 대답한다. 친구들이 봐도 내가 워낙 여러 곳을 전전하며 살아왔으니 지금쯤 또 다른 곳에 터를 잡았을 수도 있겠다는 생각을 했는지 모른다.

지역 특성상 한 달 혹은 1년 제주살이를 하고 돌아가는 경우가 많아서 가벼운 여행지로만 생각하는 경향도 있을 것이다. 친한 동생들도 토박이거나 직장을 자리 잡은 경우를 제외하고 대부분은 원래 살던 곳으로 돌아갔다. 옆에서 지켜보니 육지 사람들은 최대 5년을 넘기지 못한다는 나름의 결론에 도달했는데, 그 말인즉슨 제주살이는 5년이 고비라는 뜻이기도 했다. 나 역시 작년에 5년 차에 접어들었는데, 얼마 전만 해도 다시 서울로 돌아갈까, 하는 고민을 많이 했었다. 제주도에서 평생 살 것처럼 하던 사람들도 결국은 다들 제자리로 돌아가는데 그럼 나는 여기에서 대체 뭘 하려고 남아 있는 걸까, 싶은 생각이 들었다. 제주도에서 이루고 싶은 비전도 뚜렷하지 않고, 딱히 만나는 사람도 없고, 안정된 직장이라고 하기도 뭐 한데 그렇다면 내가 이곳에 굳이 계속 살아야 하는 이유가 뭘까. 왜 제주도여야만 하는 걸까.

힘들 때 유일하게 속마음을 터놓는 사람은 친척 동생들뿐인데 서울에 가서 잠깐 동생들을 만나고 올 때마다 다시 서울로 돌아갈까, 하는 생각이 슬그머니 피어올랐다. 전처럼 고모 집 바로 옆에 살면 퇴근하고 저녁에 맥주 한잔하고 주말에는 맛집을 같이 다닐 동생들이 있는데 그럼 얼마나 좋을까. 각자의 생활을 유지하면서 필요할 땐 언제든 손 닿으면 만날 수 있는 거리에 가족이 있고 친구가 있는데.

하지만 그 고민이 번번이 다짐으로 굳어지지는 않았다. 제주도에 처음 왔을 때 누구나 자신에게 맞는 도시가 있다는 걸 느꼈다. 다행히 나는 서울보다 제주도가 훨씬 맞는 편에 속했다. 그걸 너무 잘 알아서 다시 서울에서 살 자신이 없었다. 그럼 이번엔 아예 다른 도시를 가 볼까. 강원도는 어떨까. 대전이 가운데에 있으니 어디든 왕래하기 편하지 않을까. 교통도 편리해서 본가에도 쉽게 갈 수 있고 원하면 언제든

나에게 안녕을 묻는다

바다를 보러 갈 수도 있잖아. 제주도가 나와 맞는 것과는 별개로 내 삶이 여전히 불안정하다는 생각 때문에 자꾸만 여기저기를 기웃거리는 건 아닐까. 그놈의 안정감이 뭐길래. 보통 이럴 때 최후의 수단으로 결혼을 생각하던데 나는 꼭 그렇게 연결 짓고 싶지는 않았다. 저녁에 의자를 사지 말라는 서양 속담이 있듯 이건 누구를 만나서, 새로운 환경에 들어가서 해소하는 게 아닌 오로지 내 힘으로 풀어야 하는 문제라고 생각했다. 이런 고민이 꼬리에 꼬리를 물다 결국 마의 5년 고비를 넘겼고 지금까지 이렇다 할 별다른 다짐 없이 계속 제주도에 살게 되었다. 이제는 머문다는 말보다 산다는 말이 더 어울리는 것 같다.

지난 5년 동안 제주도에서도 나에게는 참 많은 일들이 있었고, 정신을 차려 보니 나는 어느새 30대 중반이 되어 있었다. 매일 회사와 집만 오가는, 어쩌면 서울 생활보다 더 지루할지도 모르는 삶을 살고 있어서 여기가 제주도라는 사실조차도 깜빡할 때가 많다. 바다를 보러 다녔던 기억도 까마득하고, 이제 전처럼 바다를 보러 한두 시간 걸어갈 체력도 없다.

그럼에도 나는 아직 이 무료한 제주살이가 좋다. 열에 한 명 정도 나처럼 미혼인 친구들이 가끔 혼자 제주도에 올 때 언제든 내 방에서 재워 줄 수 있다. 운전 연수도 받고 중고차도 사서 10년 장롱면허를 탈출할 계획도 있다. 모아 둔 돈도 없어서 결혼은 언감생심 꿈도 못 꾸고, 높은 연봉도 아니어서 월세 내고 나면 빈털터리가 되고, 특별히 만나는 사람도 없어서 모든 걸 오롯이 혼자 하고 있지만 30대 중반이 된 지금의 나는 그래도 나름대로 고군분투하며 오늘을 살아 내고 있다. 왜 제주도여야만 하는지 스스로에게 다시 물으면 생각보다 간단하게 답이 나왔다. 아직 제주도가 좋으니까!

그래서 어쩌면 나의 제주살이는 이제부터가 진짜 시작일지 모른다. 언제까지 내가 제주도에 살지 나도 장담은 할 수 없지만 친구들이 너 아직도 거기 사냐고 물어보면 이제는 자신 있게 말해야 겠다.

"어. 나 아직 제주도에 살고 있어. 잘!"

우울함은 디폴트 값

　우울증을 문신처럼 몸에 지니고 살아간 후 내 성격에는 특이점이 하나 생겼다. 감정 기복이 줄어들고 차분해졌다는 것. 20대에 나를 만난 사람들은 내가 감정 기복이 심하다고 했다. 내가 생각해도 그랬는데 나이가 나이인지라 혈기 왕성해서 모든 것에 쉽게 뜨거워지고 쉽게 식었다. 기분이 좋을 때나 안 좋을 때나 끓어오르는 감정을 주체하기 힘들어서 어떻게 해야 할지 난감할 때가 참 많았다. 기분 좋은 일이 있으면 평소보다 더 오버해서 크고 작은 실수를 하기도 했고 기분이 안 좋아지면 끝도 없이 땅굴을 파고 들어갔다. 감정이 그만큼 예민하고 민감했기 때문에 행복도, 슬픔도, 분노도 굉장히 자주 느꼈고 그 감정선에 닿는 시간이 매우 짧았다.

30대와 우울증을 동시에 맞이하고 제주도에 살게 된 후에 나를 만난 사람들은 내가 조용하고 얌전한 사람이라고 했다. 속으로는 심장이 빨리 뛰거나 불안한 마음이 요동치기도 하지만 나는 대체로 별다른 감정의 기복 없이 무던한 사람처럼 보인다. 말수도 현저히 줄어 이제는 아예 침착하고 내향적인 사람이 되었다. 나는 이 변화가 꼭 나쁘지만은 않은 것 같다. 극단적인 감정을 표출하던 때보다 오히려 지금의 내가 썩 괜찮은 것도 같다. 어떤 일에도 크게 동요하지 않고 평정심을 유지할 수 있게 된 게 나로서도 신기할 따름이다.

　　대신 전과 달리 행복도, 슬픔도, 분노도 그 감정선에 닿는 시간이 매우 길어졌다. 희로애락을 전처럼 잘 못 느끼게 되었고 여러 감정들에 둔감해졌다고 해야 할까. 20대 만큼의 열정과 에너지는 없을지라도 그래도 아직은 30대인데 더는 재미있는 걸 봐도, 맛있는 걸 먹어도 딱히 울림이 느껴지지 않는다. '행복하다', '짜증난다', '좋다', '싫다'는 식의 말을 달고 살았는데 이제는 별 감정이 없어진 것이다. 그중에서 가장 크게 잃은 건 단연코 행복의 감정이었다. 내가 어떤 걸 할 때 행복을 느끼는지, 행복의 감정이 뭐였는지, 행복하다는 게 어떤 기분인지 흐릿해져서 이제 잘 기억나지 않는다.

언젠가부터 이런 무덤덤한 마음 상태가 디폴트 값이 되어 버린 것 같다. 썩 나쁘지도 않지만 그렇다고 썩 좋지도 않다. 눈빛이 전에 비해 많이 흐려지고 머리가 멍하다는 느낌을 지난 5년간 계속 받았는데, 아무래도 오랜 기간 약을 먹으며 생긴 부작용 중 하나인 것 같았다. 빨려 들어갈 것 같은 우울한 감정을 약으로 눌러 우울감과 함께 다른 감정들까지 옅어진 게 아닐까. 어디까지나 나의 추측일 뿐이지만. 전처럼 또렷한 눈망울, 뾰족하게 날이 선 날것의 감정, 순간적으로 확 몰입하는 집중력 따위가 많이 사라진 것만은 확실했다. 얻는 게 있으면 잃는 것도 있는 법이겠지.

슬프지만 하는 수 없다. 이 우울한 고정값을 있는 그대로 받아들이는 수밖에.

난 손톱도 내향성이야

일주일 사이 부쩍 길어진 손톱을 깎다가 문득 나무가 땅속에 뿌리를 내리듯 유독 양옆으로 깊이 파고드는 내 엄지손톱을 봤다.

오래전 양쪽 엄지손톱 모양이 좀 심상치 않다는 생각이 들어 검색을 한 적이 있다. '내성 발톱'이라는 건 많이 들어봤는데 '내향성 손톱'은 다소 생경한 느낌이었다. 포털 사이트 속 지식인들은 내향성 손톱은 손톱을 최대한 네모나게 잘라야 하며 심할 경우 손톱 뿌리까지 통째로 뽑아 새로 자라게 해야 한다고 잔뜩 겁을 줬다. 그때부터 나는 손톱을 깎을 때 최대한 신경 써서 둥그렇게 깎지 않으려 노력한다. 전처럼 아프진 않지만 여전히 딱히 달라진 게 없는

나에게 안녕을 묻는다

내 손톱을 보며 갑자기 그런 생각이 들었다.

'어라. 그러고 보니 난 손톱도 내향성이네.'

요즘 한 번씩은 해 본다는 MBTI(성격 유형 검사)에서 나는 I(내향성)가 나왔다. 전에는 E(외향성)와 비율이 반반이라 외향성과 내향성을 때에 따라 자유롭게 넘나들 수 있었는데 요즘은 내향성의 비율이 급격히 높아진 걸 굳이 검사해 보지 않아도 느낄 수 있다. 우연히 옛날 사진첩을 보다가 MBTI가 지금처럼 유행하지 않았던 십여 년 전에도 내가 이 검사를 했었다는 아주 재밌는 사실을 마주했다. 더 놀란 건 20대의 나는 흔히 말하는 인싸의 상징, 외향성의 끝판왕이라 불리는 ENFP였다는 점이었다. 지금의 나는 절대 상상할 수 없는 결과였다. 옛말에 10년이면 강산이 변한다고 했으니 나이 앞자리가 바뀐 만큼 성격도, 성향도 이렇게 달라질 수 있는 거겠지.

인간은 사회적인 동물이라고 했던가. 근데 우리나라 사람들은 그 말을 유독 굳건하게 믿는 것 같다.

그래서 나는 어릴 때부터 외향성은 '좋은' 성격, 내향
성은 '안 좋은' 성격이기 때문에 외향적인 성격이 되
어야 한다는 강압을 은연중에 많이 받았다. 참나. 세
상에 좋은 성격, 나쁜 성격이 대체 어디 있을까. 이런
반발심이 들면서도 한편으로는 나 또한 이토록 달라
진 내 성격을 있는 그대로 받아들이는 것이 여전히
어렵다. 어릴 적부터 나도 모르게 정립해 온 흑백 논
리적 가치관이 아직 내 안에 남아있기 때문이겠지.
왜냐면, 사실 아래로 파고드는 내 엄지손톱을 보며
아마도 난 이렇게 생각했을 테니까.

　'시팔. 난 뭐 손톱도 내향성이야.'

　내 자신에게조차 이렇게 편견으로 똘똘 뭉친 사람
이라니. 그렇다 한들 손톱 모양을 보고도 내향성과
연결 짓는 나의 엉뚱함에 피식, 웃음이 난다. 이제는
이런 내향적인 나도 사랑해 보는 걸로.

우울해도 회사에 다닐 수 있다

'우울해도 회사에 다닐 수 있다. 우울해도 친구와 연락을 유지할 수 있다. 그런데 그러지 않을 수도 있다. 삶에는 많은 선택들이 있고, 어떤 선택을 했는지 남들과 비교할 필요는 없다. 내가 한 선택은 그냥 그럴 수도 있는 선택이다.'

어딘가에서 우연히 마주한 글이 마음을 울린다. 그래. 정말 그렇다. 우울해도 회사에 다닐 수 있다. 맛있는 밥을 먹고, 사람들을 만나고, 시답지 않은 얘기에도 퍽 웃을 수 있다. 다만 모든 문장들 앞에 '얼마든지'라는 단어보다는 '때때로'나 '종종' 같은 단어가 더 어울리는 것뿐. 그냥 그럴 수도 있는 선택, 이라는 구절에 자꾸 마음이 쓰인다.

나를 오래 알았든 그렇지 않든 내가 지금 제주도에 살고 있다는 것, 우울증을 앓고 있다는 것을 대부분의 지인들은 알고 있다. 단, 회사 사람들을 제외하고. 일로 만난 관계에서까지 굳이 내 약점을 오픈할 필요는 없었다. 우울증을 갖고 있다는 것이 왜 약점이 되어야 하는지는 잘 모르겠지만 모두가 그렇게 숨어 사니까 나도 당연히 그래야 된다고 생각했다.

　그렇게 어느새 5년. 한동안은 나도 달라진 내 모습을 쉬이 받아들이지 못했다. 제주도에 와서도 나를 인정하기까지는 많은 시간이 필요했다. 지금은 문신처럼 몸에 딱 붙어 있는 우울감이 제법 익숙해졌고 이런 내 모습도 조금은 이해할 수 있게 되었다. 하지만 회사에서는 또 다른 자아를 억지로 끄집어내 새로운 가면을 써야만 했다. 이렇게 너무 오래 살아서, 이렇게 사는 게 편해져서 종종 가면 속 진짜 내얼굴이 나도 모르게 드러날 때도 있었다. 숨긴다고 숨기는데도 어쩌면 이미 느꼈을지도 몰랐다.

　벌써 눈치챘을까. 들켰을까.

　　　　　　　　나에게 안녕을 묻는다

어쩔 땐 시원하게 커밍아웃을 해 버릴까 생각한 적도 있었다. 내가 대수롭지 않게 생각하면 다른 사람들도 그러지 않을까. 하지만 그러지 못했다. 업무 처리가 미숙해도, 근무 태도가 못마땅해도 모든 원인을 우울증으로 돌릴 것이었다. 매 순간 보이지 않는 색안경을 쓰고 나를 대할 게 불 보듯 뻔했다.

나는 꼼꼼한 성격이라 실수를 덜 하는 대신 업무 속도가 빠른 편은 아니었다. 하지만 같은 상황에서도 사람들은 '아, 쟤가 우울증이라서 일 처리를 빠르게 못하네.', '우울증이라 적응을 못하는 구나.'라는 식으로 이유를 붙일 것이었다. 회사에서 그냥, 이라는 건 없으며 순수한 호의 같은 건 존재하지 않는 거라고 생각했다. 물론 약의 부작용 때문에 실제로 두뇌 활동이 떨어진 것일 수도 있다. 그렇지만 단순히 전보다 나이를 먹어서 속도가 더딘 것일 수도 있으니 그것까지는 나도 알 수 없었다.

근데 이건 어쩌면 나 혼자만의 기우일 수도 있다. 그저 사회생활이 익숙하지 않은 친구라고, 관계를

맺는 데 서툰 친구라고, 그렇게 가볍게 생각했을 수도 있다. 회사 사람들이랑 거리를 둬서 나한테 득이 될 것도 없고, 좋은 게 좋은 거라고 사람들이랑 원만하게 지내는 게 나쁠 것 없다는 것쯤은 나도 당연히 알고 있다. 하지만 그게 잘 안 되는 사람들도 있다는 걸 사람들은 모르는 것 같다.

물론 시간이 지나면서 조금씩 사람들과 농담도 하고 전보다 웃으며 잘 지내고 있지만 그럼에도 도저히 감춰지지 않는 것도 있다. 아직도 나는 종일 갑갑한 사무실에 있으면 숨이 막힌다. 흔히 말하는 관용적 표현이 아니라 실제로 가슴이 답답해진다. 참다 참다 잠깐 밖에 나가서 바람을 쐬면 그제야 숨이 쉬어졌다. 코로 숨을 들이마시고 입으로 하, 하고 한 번 소리 내어 크게 뱉는다. 그러면 마치 숨어 있던 숨이 장애물을 뚫고 터져 나오는 것 같은 기분이 들었다. 나는 그것만으로도 살 것 같았다.

"직장인이 다 그런 것 아니겠냐."
"너만 그렇게 사는 게 아니다."

나에게 안녕을 묻는다

종종 친구들에게 하소연을 하면 돌아오는 답은 마치 서로 입을 맞추기라도 한 것처럼 일맥상통했다. 사회적 성공을 이룬 수많은 사람들이 소위 '존버'의 모범 선례를 몸소 증명하고 있으니 그것이 곧 정답인 걸까. 그럼 나는 뭐지. 나는 얼마큼 버틸 수 있을까. 우울해도 회사에 다닐 수 있지만 우울하지 않게 회사에 다닐 수 있는 방법은 없는 걸까. 여전히 답은 찾지 못했다.

그럼에도 나는 오늘도 출근 준비를 한다. 아침마다 괴로워하면서도 세수를 하고 옷을 입고 화장을 한다. 남들은 몇 년씩 당연하게 하는 것들인데도 나에게는 여전히 참 유난스러운 일이다. 뭘 그렇게 오버를 하냐고 생각할지 몰라도 이런 유난한 시간들이 모이고 모여 결국엔 나를 살게 하니까. 그래서 나는 이런 내가 새삼 대견하다.

나 오늘도 군말 없이 출근 준비를 하네. 기특하다. 참 장하다. 대단해!

공존하는 마음들

살고 싶지 않은 마음을 품은 적이 있었다. 살아갈 이유도, 살아 낼 의미도 찾을 수 없었던 날들. 그때 나는 죽음이라는 보이지 않는 세계와 가깝게 맞닿아 있었다. 멀리서 보면 물속을 유영하듯 어찌저찌 흐르는 대로 지나온 것 같지만 사실 지난 순간들 모두 나에게는 아주 진한 장면으로 남아 있다. 그래서 나는 안다. 내가 어떻게 해서 여기까지 왔는지를.

지금은 그때와는 비교도 할 수 없을 만큼 많이 좋아졌다. 죽고 싶은 생각도, 죽기 위한 계획도 더는 하지 않는다. 그럼에도 가슴 한 켠에는 뭔지 모를 깊은 멍울이 여전히 자리하고 있다. 명치 끝에 큰 덩어리가 턱 얹힌 느낌. 작아지기도 하고 커지기도 하지만 절대 사라지지 않는다. 내가 많이 좋아졌다고 해서 모든 것들이 하루아침에 짠, 하고 단번에 없어지는 것은 아니었다.

요즘 나쁜 마음들이 다시 피어오르는 건 대체로 회사와 관련된 것들이었다. 나는 다른 사람들보다 훨씬 더 조직 생활에 맞지 않는 사람이었다. 회사는 누구라도 다니기 싫어하는 것 아니냐고 반문하겠지만 이건 좀 다른 얘기다. 처음에는 나한테 정말 문제가 있는 걸까, 라는 생각을 했지만 나는 통제의 여부에 따라 마음이 크게 동요되는 사람이라는 나름의 결론을 내렸다. 통제할 수 있는 것과 할 수 없는 것. 회사에서는 내 마음대로 할 수 있는 게 아무것도 없었다. 어쩌면 당연한 얘기겠지만 나는 유독 그런 것에서 살아갈 힘을 많이 잃는다. 자존심 상하는 원색적인 비난을 들어도, 무례한 질문을 받아도, 다른 동료와 비교를 당해도 나는 의견 하나 제대로 말하지 못하고 그저 참는다. 그렇게 유머가 넘쳤던 예전의 내 모습은 이제 찾아볼 수 없다. 웃음을 잃어버린 얼굴만 시커먼 모니터 속에서 둥둥 떠다닐 뿐이다.

그래도 24시간 내내 이렇게 죽상이거나 울상인 건 아니다. 비록 회사 밖을 벗어나도 나는 여전히 축 처진 빨랫감처럼 에너지가 잔뜩 소진되어 있지만 적어도 혼자 있을 때만큼은 마음 편하게 저녁을 먹고, 백색 소음으로 TV를 틀고, 내 몸에 꼭 맞는 편안한 잠옷을 입고, 블루투스 스피커로 명상 음악을 듣고, 무드등을 켜고, 내가 좋아하는 글을 쓴다. 유일하게 이 시간만은 내가 주체적으로 통제할 수 있다는 점에서 나는 자유롭다. 하루 동안 나를 마구 할퀴고 간 상처들 위에 허여멀건 연고가 한 겹 씌워진다.

그렇게 나는 또다시 살아갈 힘을 얻는다.

지금도 나는 도무지 살고 싶지 않은 마음과 그럼에도 살아야 한다는 마음이 공존한다. 이 공존하는 모순된 마음들이 결국에는 나를 살게 한다.

나에게 안녕을 묻는다

마음을 청소하는 방법

    나는 최근 무기력에 빠졌다. 전에는 운동은 안 해도 헬스장에 가서 씻기라도 했는데 요즘은 그것마저 하지 않아 매일 집에서 샤워를 하고 머리를 감는다. 나는 유독 집에서 씻는 걸 극도로 싫어하는데 머리카락을 정리하는 게 너무 귀찮기 때문이었다. 하수구에 모인 머리카락을 휴지로 한 움큼 집어 변기에 넣고 나와도 방 곳곳에 머리카락이 있었다. 그래서 요즘 나는 내 머리카락과의 전쟁을 치르고 있다.

    지난 며칠간 화장실 하수구에 물이 잘 내려가지 않았다. 샤워를 하고 나면 샴푸 거품과 함께 물이 하수구 위에 한참 고여 있다가 겨우 빠져나가곤 했다. 보통 화장실 청소를 할 때 눈에 보이는 것들만 하고 하수구는 손대기 싫어 나 몰라라 했는데 그게 결국 사달이 난 것 같았다. 이참에 끝을 보자 싶어 하수구 덮개를 들자 공포 영화에서 볼 법한 머리카락이 끝도 없이 나왔다. 더럽다는 말을 뱉으며 휴지로 머리카락을 몇 번이나 훔쳤는지 모른다. 끔찍해서 나도 모르게 헛구역질이 나왔다. 우웩.

밤 아홉 시에 시작한 청소는 기분 전환용 방 구조 바꾸기를 더해 새벽 두 시가 넘어서야 겨우 끝났다. 나는 이렇게 무기력하거나 우울할 때 청소를 한다. 자주는 아니지만 아무리 귀찮아도 일주일에 한 번은 청소기를 돌리고, 빨래를 하고, 변기를 닦고, 먼지떨이로 먼지를 털고, 물티슈로 여기저기를 닦는다.

마음이 우울한 정도는 살고 있는 방의 상태를 보면 바로 알 수가 있다. 얼마나 힘든지, 얼마나 무기력한지, 얼마나 마음의 여유가 없는지. 평소에는 일주일에 한 번씩 청소를 하지만 가끔 가다 모든 게 귀찮고 나 자신이 하찮게 느껴질 때는 주기적으로 하던 것들을 모두 놓아 버린다. 그래서 뒤돌아 보면 방이 그야말로 개판일 때가 많다. 퇴근하고 집에 와 어질러진 방 꼬라지를 보면 스트레스가 엄청나게 쌓이는데 청소할 힘도, 의욕도 없어서 차일피일 미루다 한 달을 훌쩍 넘긴 적도 있었다. '으유, 더러워!', '으유, 지겨워!'를 반복하면서도 금세 깨끗해지는 방을 보면 기분이 되게 좋아진다. 더 정확히는 더러운 것을 쓸고 닦으며 청소하는 과정 자체부터 이미 스트레스가 풀린다. 청소하는 게 귀찮으면서도 좋다니. 참나. 내가 봐도 살짝 변태 같기는 하지만 사실인 걸 어쩌나.

겉으로 예쁜 옷을 입고 어울리는 화장을 하는 것만이 나를 가꾸는 게 아니라는 걸 나는 제주도에서 혼자 지내며 몸소 터득하고 있다. 아무도 들여다보지 않고 알아주지도 않는 나만의 공간이지만 내가 들여다보고 내가 알아주기 때문에 그래서 더욱 청소하는 건 중요한 일이다.

청소를 할 때는 그동안 쌓였던 스트레스가 풀리고 속이 뻥 뚫리는 느낌을 받는다. 땀에 흠뻑 젖은 몸을 냉수로 씻고 난 후의 개운함은 두말하면 입 아프고.

이 기분 때문에 나는 청소를 좋아하는 것 같다. 우울해서 방이 더러워졌는데 그 더러워진 방을 청소하면서 우울함이 사라지는 아이러니한 상황. 온전히 나만을 위한 일이기 때문에 귀찮아도 청소를 하지 않으면 안 된다. 내가 아니면 누구도 해 줄 수 없는 일이니까. 이것이 나를 가꾸고 마음을 청소하는 나만의 방법이다.

이런 말을 들은 적이 있다. 어른이 된다는 건 하기 싫은 일을 하는 거라고. 하지만 출근하기 싫어도 회사에 가는 것과 방을 청소하는 건 결이 조금 다른 것 같다. 하기 싫은 걸 한다는 의미는 같지만 고스란히 나만을 위한 일이라는 점에서 청소를 하는 건 생각보다 순수하고 한층 더 고결한 것인지도 모른다.

그래서 오늘도 나는 내일 출근을 앞두고 어질러진 내 방을 청소한다. 으유, 지겨워! 그래도 출근하는 것보단 청소하는 게 낫겠지. 암, 그렇고말고.

누워 있는 게 아니라
충전하는 겁니다

요즘 내 주말 루틴은 다음과 같다.

이틀 동안 집 밖을 한 발자국도 나가지 않고 하루 종일 집안에만 틀어박혀 있다. 주로 앉아 있거나 누워 있는 경우가 대부분인데, 얼마 전까지는 나름 외향성이었기에 집에 있으면 심심하고 답답하고 좀이 쑤셔서 어떻게든 외출을 했다. 약속을 잡고, 혼자 바다를 보러 가고, 집 앞 카페에 가더라도 되도록 집에 있지 않으려 했다. 몇 년 전만 해도 나는 그랬다.

그러다 재작년쯤부터 실외보다는 실내가 편하기 시작했고 그 장소는 단연코 내 집이 되었다. 이렇게 집순이가 된 데는 사실 다 그럴 만한 이유가 있었다.

약 2년간의 공시 생활로 사람을 만나지 않고 사는 것에 익숙해졌고, 지금은 아주 오랜만에 다시 직장 생활을 하게 되면서 모든 에너지를 회사에 쏟아붓기 때문에 주말에도 밖에 나갈 기력이 없는 것이다.

처음에는 의도치 않은 칩거 생활에 나조차도 적응이 되지 않았다. 외출하고 싶은 생각은 굴뚝 같은데 좀처럼 따라주지 않는 내 몸을 받아들이기가 쉽지 않았다. 왜 이렇게 무기력하고 힘든 건지, 아무것도 할 수 없고 하기도 싫어하는 스스로를 한심하게 생각했다. 예전처럼 자기 계발도 하고, 모임에 참석해 다양한 사람들도 만나고, 좋아하는 취미 생활도 마음껏 하고 싶었고, 당연히 그렇게 할 수 있을 줄 알았다. 30대 중반이라는 나이의 압박도 있었고 뭔가 생산적인 걸 하면서 열심히 살고 싶은 욕심이 무엇보다 컸다. 그런데 그 욕심들이 되레 스트레스가 되어 돌아왔다. 왠지 이렇게 살면 안 될 것 같은 불안함 때문에 쉬면서도 마음 편하게 쉬지 못했다.

이런 생활들을 겪다 보니 이제는 알겠다. 그 어떤

나에게 안녕을 묻는다

생산적인 일도 하지 않고 무용하게 지내는 삶이 지금 나에게는 반드시 필요하다는 것을. 쓸모없어 보이는 이런 하찮은 시간조차도 나에게는 쓸모가 있다는 것을. 그저 누워 있는 게 아니라 나는 이런 식으로 밖에서 빼앗긴 내 에너지를 충전한다는 것을. 남들이 보면 젊은 나이에 참 심심하고 따분한 일상이라 생각할지는 몰라도 나에게는 별다른 일탈이 없는 게 가장 큰 일탈이다. 이것이 지금의 내가 생각하는 쉼의 방식이다.

그러니 나는 앞으로도 지금처럼 되도록 집에서 누워만 있을 생각이다. 최대한 열심히, 최선을 다해, 그어떤 죄책감 없이, 무용하게. 그래야 또 다음 한 주를 살아갈 수 있으니까. 이 험난한 삶을 그렇게 나는 또 살아 나가야 하니까.

내 안부는 내가 물을게

요즘 내 삶에 지나치게 간섭하는 사람들을 유독 많이 만난다. 새로운 사람을 사귀는 것도 아닌데 원래부터 알고 지내던 사람들이 수시로 나를 흔든다.

"이게 다 네가 걱정돼서 하는 소리야."
"네가 안타까워서 그래."
"그만큼 네가 잘됐으면 하니까 그러는 거야."

이를테면 이런 말들. 요즘 들어 이게 왜 이렇게 불편할까. 생각해 보면 나는 아주 오래전부터 이런 얘기를 들었던 것 같다. 다른 사람들의 고민을 듣는 걸 잘했고, 좋아했다. 그러다 언제부턴가 이야기의 방향이 서서히 나로 향하기 시작했다. 조금 불쾌해도

나에게 안녕을 묻는다

잠자코 들었다. 정말 나를 생각해 줘서 하는 말이겠거니, 하면서. 내가 싫어하는 말 중 하나가 '누울 자리를 보고 발을 뻗는다.'라는 말인데 돌이켜 보면 나는 늘 누울 자리를 상대방에게 내어 줬던 것 같다. 자기 확신이 없고 중심이 명확하지 않으니 살짝만 불어오는 실바람에도 나는 쉽게 흔들렸다. 그러다 뿌리가 통째로 뽑힐 때도 많았다.

이제는 이런 말들이 듣기가 싫어졌다. 처음에는 '와, 내가 걱정도 잔소리처럼 생각하는 걸 보니 진짜 늙었나 보다.' 하는 생각에 습관적으로 나를 탓했다. 물론 처음에는 정말 내가 걱정되고 잘되기를 바라는 마음에 했던 조언일 수도 있다. 대부분의 왜곡된 말들은 언제나 호의에서 시작되니까. 그러다 본격적으로 내 삶을 자기들만의 방식대로 통제하려고 했을 것이다. 내가 행복하다는데, 괜찮다는데 왜 다들 나한테는 해결책을 찾아 주려고 안달일까. 그들의 걱정을 가장한 고나리질 혹은 가스라이팅을 듣다 보면 나름대로 애쓰며 살고 있는 내 삶 전체를 부정당하는 기분까지 들어서 무지 불쾌하다.

이런 사람들과 대화를 하고 한참 후에 집에 오면 그들이 했던 말이 밤새 내 머릿속을 떠나지 않는다. 찝찝한 기분과 함께. 정작 그 조언들을 들을 땐 그럴 듯하고 설득력도 있는 것 같아서 고개를 끄덕였던 스스로가 한심하기 짝이 없다. 내 인생에 대해 이래라저래라 하지 말라거나 내가 알아서 하겠다는 식으로 맞서야 했는데 그러지 못했던 자신이 원망스러우면서 곰곰이 곱씹어 볼수록 기분이 계속 나빠진다. 모든 기준이 내가 돼야 했는데 나는 아직도 그러지 못하고 있었다. 이럴 때일수록 스스로 단련해서 중심을 잡는 방법밖에는 없다. 흔들리지 않는, 뿌리 깊은 단단한 나무가 되기 위해.

내 안부는 내가 알아서 물을 테니 나를 바꾸려고 하지 말고 그저 있는 그대로 나를 봐 주세요. 이제 그런 충고는 정중히 사양할게요.

저는 충분히 괜찮고, 충분히 안녕합니다.

나에게 안녕을 묻는다

나의 우울에게

'나에게 안녕을 묻는다'

내가 6년째 키워 가고 있는 나만의 작은 공간, 내 블로그 이름이다. 이 이름대로 나는 나에게 안녕을 물으며 살고 있을까. 지금 내 기분은 어떤지, 왜 그런 기분을 느꼈는지, 오늘 하루는 어땠는지, 힘든 일은 없는지, 어떤 순간이 행복했는지.

사실, 전혀 그러지 못하고 있다.

서울에서 처음 상담을 받았을 때 선생님이 나에게 한 질문이었다. 남들에게 인사치례로 안부를 묻는 것처럼 정작 나한테는 안녕을 물어본 적이 있느냐고. 그 말에 충격을 받아 앞으로 어떤 삶의 지표 같은 걸로 삼아 보자며 호기롭게 블로그 이름으로 정했다. 근데 요즘은? 사람들과 연락 자체를 안 하고 살아서 남한테도 안녕을 물을 일이 없다. 솔직히 이제 남의 안녕 따위는 안중에도 없는 지경에 이르기도 했고. 그렇다고 그게 나의 안녕에 소홀해도 된다는 합리적인 이유가 될까.

이제는 우울증도 꽤 익숙해져서 예고 없이 불쑥 찾아오는 우울을 그냥 내버려 둔다. 있고 싶은 대로 머물다 가라고. 전처럼 나를 고통 속에 방치하지 않으려 노력한다. 우울하면 우울한 대로, 기분이 괜찮으면 괜찮은 대로. 물론 마음처럼 다 되는 건 아니지만 그래도 노력한다는 것 자체가 중요하니까. 여전히 나는 그 중간 지점을 찾아가는 과정에 있다.

언젠가 우울증과 완벽히 이별할 수 있을 때 홀가분하게 떠나보내고 싶다. 그러기 위해서는 있는 듯 없는 듯 미세한 불편함을 인정하고, 또 받아들이고 살아가야겠지. 물론 우울한 나도 충분히 행복할 수 있고 잘 살 수 있다는 걸 나 자신에게 심어 줘야 하는 가장 중요한 과제가 아직 남아 있다.

2018년 여름, 나는 우울증과 불안 장애를 진단 받고 햇수로 6년째 항우울제와 항불안제를 복용하고 있다. 내 삶의 많은 것들이 바뀌었고, 지금도 나는 그 변화를 수용하기 위해 부단히 애쓰고 있다. 나는 여전히 고독하고, 여전히 외롭고, 여전히 우울하다.

나에게 안녕을 묻는다

그럼에도 불구하고,

오늘도 나는
나에게 안녕을 묻는다.

여기, 제주도에서.

나에게 안녕을 묻는다

ⓒ 정모래, 2023

초판 1쇄   2023년 12월 12일

지은이   정모래
펴낸이   정모래
일러스트   김고랭

펴낸곳   이응이응프레스
출판등록   2023년 9월 5일 (제2023-000049호)
이메일   ieungpress@gmail.com
인스타그램   @ieungieungpress

ISBN   979-11-985025-1-3 (03810)